탄약관리학

이강복·한호석 편저
육군종합군수학교 감수

[탄약관리학]을 펴내며…

요즘 우리는 자유스럽고 평화스럽다는 착각에 빠져 하루하루의 생활을 하는 것 같다. 시대의 변화와 세월의 흐름에 따라 전쟁을 경험한 세대보다는 전후 세대가 많이 증가하였으며, 50여년 동안의 휴전이 지속되고 있으므로써 그러한 인식은 더욱 깊어만 가고 있는 것 같다.

그러나 우리는 우리가 당면하고 있는 현실을 직시할 필요가 있으며 그 결과에 따른 사전 준비의 중요성을 깨달아야 할 것이다.
과거 역사를 살펴보아도 준비가 되지 않은 우리는 외세로부터 많은 침략을 받고 치욕의 세월을 보낸바 있다.
지금도 우리 국가와 민족의 생존권 보존을 위해 대비하지 않으면 과거와 같은 현실을 다시 한번 경험하게 될 것이다.

이를 위해 군에서는 병력과 장비와 물자를 확보, 운영하고 있으며 이러한 준비의 일부분으로서 전투력 발휘의 3대 요소 중의 하나인 화력과 직접적인 관련이 있는 탄약을 확보 및 저장관리 하고 있다.
이러한 탄약은 사용자가 필요로 하는 장소에 요구하는 종류와 수량을 사용 가능한 상태로 보급하는 것이 무엇보다 중요하다.
이를 위해 우리는 탄약저장 규정을 준수하고 안전한 취급을 통하여 탄약의 정비소요 발생을 억제하고 사용 가능한 상태 유지를 위해 많은 노력을 경주하고 있다.

이 교재는 위에서 언급한 바와 같은 요소를 충족하기 위해 앞으로 탄약관리 임무를 수행할 인원들에게 필요한 길잡이가 되고자 탄약저장과 관련된 기본적이고 핵심적인 내용 위주로 다음과 같이 작성하였다.

첫째 : 탄약관리 총론에서는 탄약의 발전사, 탄약의 중요성 및 특수성, 탄약의 소요부터 비군사화에 이르는 관리, 그리고 종합군수지원으로 구성하여 서술하였고

둘째 : 탄약근무에서는 탄약저장 조건과 탄약저장과 관련된 기본적인 이론을 바탕으로 탄약고를 소개하고 저장 중인 탄약의 보호, 안전 및 효과적인 취급을 위한 탄약고 관리방법을 설명하고

셋째 : 저장 안전에서는 탄약의 안정적인 저장관리를 위한 저장방법, 위험급수, 화재 및 폭발예방과 탄약수송 및 취급간 준수해야할 저장 안전사항을 포함하였고

넷째 : 대미 협력업무 및 탄약취급은 미군소유탄약을 관리함에 따른 업무절차와 탄약고 주변에서 빈번히 발생하는 민원업무 처리절차를 구분하여 서술하였다.

따라서 이 교재는 탄약과 관련된 내용을 누구나 쉽게 이해할 수 있도록 탄약저장과 관련된 일반적인 사항 위주로 작성 발간하였다.

그러나 부족한 면도 있으리라 생각되므로 앞으로 지속적으로 보완할 것을 약속하고 더불어 여러분들의 관심있는 지도를 바라며 이 교재가 출간되기까지 많은 지적과 조언을 해 주신 모든 분들에게 진심으로 감사드린다.

2008년 2월

차 례

제3절 종합군수지원 / 69

제2장 탄약 근무 / 105

제3장 저장 안전 / 143

제1절 시설 저장 ······ 145

제2절 저장 안전 / 151

제3절 화재 및 폭발예방 / 163

제4절 수송 및 취급안전 / 179

제4장 대미 협력 업무 및 탄약취급 / 195

제1절 SALS-K 업무 / 197

제2절 군사시설 보호법 및 민원업무 / 209

제3절 탄약취급능력 판단 산출 / 217

제5장 부록 용어 및 약어 / 229

제1장
탄약관리 총론

Section 01

개론

1. 개요

가. 탄약의 개념

(1) 화약(Powder)

불안정한 평형상태의 고체 및 액체로서 충격, 열, 마찰, 전기 등을 가했을 때 다량의 열과 가스를 발생하는 물질

(2) 탄약(Ammunition)

적의 병력, 장비, 또는 군사시설에 피해를 가하기 위하여 특별히 고안된, 용기내의 폭발물, 화학제, 세균 및 방사능 등을 충전한 것으로서 총, 화포로부터 발사되거나, 또는 매설, 투척, 투하, 유도 등의 방법에 의해 사용되는 물질을 말한다. 탄약은 소구경탄약, 포탄약, 지뢰, 유탄, 신호탄, 폭약, 연막탄, 소이탄 등의 재래식 탄약과 유도탄 및 로켓탄, 핵, 기타 특별한 탄약으로 구분할 수 있다.

나. 탄약 관리학이란?

(1) 관리(管理, Management)

(가) 일정한 목적을 효과적으로 실현하기 위하여 인적 · 물적 여러 요소

를 적절히 결합하여 운영을 지도·조정하는 기능 또는 그 작용을 의미한다(백과사전).

(나) 부대의 임무와 과업을 경제적이고 효율적으로 완수하기 위하여 인원, 금전, 물자, 시설 및 시간을 활용하는 과정으로서 기획, 조직, 지시, 조정 및 통제기능이 포함되는 지휘의 한 수단을 말한다(군사용어 사전).

(2) 탄약 관리학(管理學)

탄약의 소요, 획득, 보급, 저장, 검사, 정비 및 비군사화 등 탄약 관리에 관한 이론과 그것을 바탕으로 한 관리기술을 체계적으로 연구, 발전시켜 조직체의 관리기능 향상을 추구하는 학문을 말한다(백과사전).

2. 탄약 발전사

화약이 발명되기 전 원시시대에는 주로 자연석을 연마하여 사냥을 하는 수렵무기와 외부로부터 부족을 보호하기 위한 도구로 사용하였다. 그러나 인류가 화약을 발명하면서 부족, 국가간의 전쟁에 본격적인 살상무기로 사용하게 되었고, 무기 및 탄약의 성능과 위력에 따라 전쟁의 승패를 결정짓는 중대한 요소가 되었다. 각 시대별로 탄약의 발달사를 보면 다음과 같다.

가. 고대

(1) 물맷돌

화약을 사용하기전인 원시시대부터 중세이전까지 인류가 많이 사용한 무기는 자연에서 흔히 구할 수 있는 돌을 이용하였으며, 문화가 조금씩 발달하면서 동물가죽과 끈을 이용하여 사냥을 하거나 적을 공격하였다. 그 한 예로 다윗과 골리앗의 싸움에서 다윗이 사용하였던 무기도 물맷돌(1)이었다.

(2) 활/화살

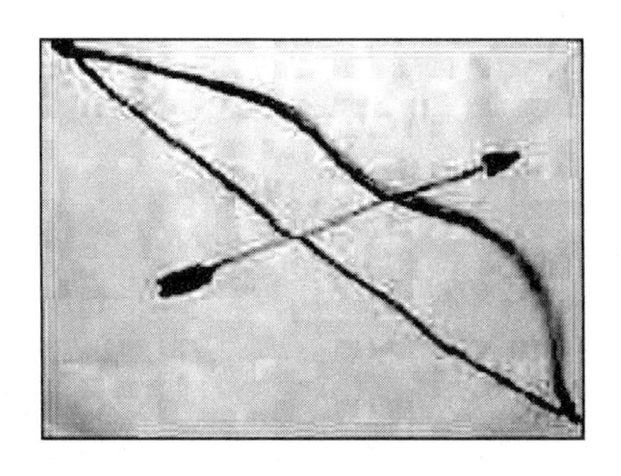

청동기시대의 활과 화살

기존의 자연물을 이용할 수 있는 지적인 능력이 더욱 발달하여, 돌을 정교하게 조각하거나 동물의 뼈를 이용 또는 철을 단조하여 무기로 사용하게 되었는데, 가장 보편적으로 사용된 무기가 바로 활과 화살이며 일부 아마존, 아프리카 등의 원시 부족들은 현재에도 활을 이용한 수렵활동을 하고 있다.

(3) 화약의 등장

화약을 발명하기 전 인류는 불을 무기로 사용하기도 하였는데, 고대 로마에서는 투석기를 이용하여 송진과 유황을 혼합한 재료로 불덩어리를 만들어 적의 군함을 공격하기도 하였다. 이후 7세기경 중국에서는 초석과 유황을 이용하여 화약을 제조하게 되었는데, 발명 당시는 적을 살상

(1) **물맷돌** : 이스라엘을 공격한 블레셋 군대와의 싸움에서 아버지 심부름으로 형들의 안부를 물으러 전쟁터에 갔던 어린 소년 다윗이 골리앗과 싸우게 되는데, 이때 다윗이 사용한 것은 양을 치면서 늑대를 물리치기 위해 사용하였던 물맷돌이다. 물맷돌을 던져 골리앗의 인중에 명중시킴으로써 이스라엘을 승리로 이끌었던 것이다.

하기보다는 대나무를 이용, 폭죽으로 적을 놀라게 하는 기선제압용으로 사용하였다.

우리나라에서는 7세기 신라가 삼국통일을 앞두고 당나라를 축출할 당시 "노[2]"라는 무기를 개발하였다. 노는 매소성 전투에서 당나라와의 7년 전쟁에 종지부를 찍는 결정적인 역할을 하였는데 바로 노를 운용하는 부대가 당나라의 기마병을 제압할 수 있었던 것이다.

불로 군함을 격파(고대 그리스)

대나무에 화약을 넣어 무기로 사용

나. 중세

(1) 신기전[3]

1258년 몽골에서는 유황, 목탄, 초산을 혼합한 화약을 사용, 화전을 발명하였다. 이는 성안의 구조물에 화공(火攻)을 하기 위하여, 대나무에 화약을 충진, 불화살로 성안을 공격하는데 사용하였다. 우리선조들은 1380년경 화약을 불에 태워서 생기는 힘, 즉 추진력으로 날아다니는 불 주화를 만들어 원거리 전투를 가능하게 하였다. 고려 말 1373년 최무선이 화약개발

(2) **노** : 쇠뇌라고도 하며 화살의 길이가 1m가 넘고 철촉의 길이가 보통 화살촉의 2배가 넘는 신라군의 특수무기로서 당나라의 기병을 물리쳤다.(KBS 역사스페셜, 2002. 7.13, 작가 권기경)

(3) **신기전** : 세종 30년(1448년) 세계 최초의 다련장로켓무기의 효시라 할 수 있는 신기전(神機箭)을 개발하였다. 신기전은 100발의 화살을 장전하여 15발씩 동시발사가 가능토록 설계되었다. 신기전도 그 종류가 다양하였으며 이중 대신기전(大神機箭)은 길이가 무려 5m나 되며, 약통의 길이는 70cm, 사정거리가 2km가 넘어 압록강 너머에 있는 적 까지 공격했다(KBS 역사스페셜, 2003. 9.10).

에 성공한 후 주화보다 강력한 무기가 등장하는데, 그것이 바로 주화에 폭탄 역할을 하는 발화통을 설치한 신기전이다. 이 신기전은 세계 최초로 다련장 로켓(MLRS, Multiple Launcher Rocket System)의 효시라 할 수 있으며, 당시 신기전은 오늘날 탄도 미사일과 같은 것으로 200m를 날아가 50m 반경 내의 밀집된 적을 집중적으로 공격하는 놀라운 성능을 보였다. 이 신기전이 위용을 드러낸 것은 1593년 2,300명의 조선군이 3만명의 왜군을 맞아 절대적인 숫적 열세로 치열한 전투를 벌였던 행주산성(幸州山城)에서 그 위력을 발휘하였다. 그 당시 왜군의 사상자가 1만명, 왜군 총대장 우키다가 이 신기전의 공격으로 중상을 입고 퇴각하여 임진왜란 이후 육상 전투에서 전세를 역전하는 중요한 계기가 되었던 것이다.

13세기 몽골에서 사용한 화전

신기전, 다련장로켓의 효시(고려말)

(2) 흑색화약(4)

1260년경 영국에서 초석, 유황, 육탄분을 혼합한 흑색화약을 이용하여 적에게 위협을 가하였는데, 이는 통나무에 홈을 만들어 화약을 충진후 원형의 돌을 탄환으로 사용하였고, 화약의 역할은 돌을 발사 할 수 있는 추진압력을 만들어 내는 것이었다.

(4) **흑색화약** : 1373년 당시 중국, 영국만이 화약을 제조하였을 때, 최무선은 20년간의 노력끝에 화약개발에 성공한다. 화약의 재료는 유황과 목탄가루,염초를 사용하였는데, 화약의 성능을 좌우하는 이 3가지 재료의 배합비율은 놀랍게도 오늘날의 흑색화약의 비율과 일치하였고, 성능면에서도 오늘날의 화약에 비해 손색이 없었으며, 이후주화, 신기전, 각종화포 등 신형무기 발전의 계기가 되었다(KBS역사스페셜, 2003. 9.10).

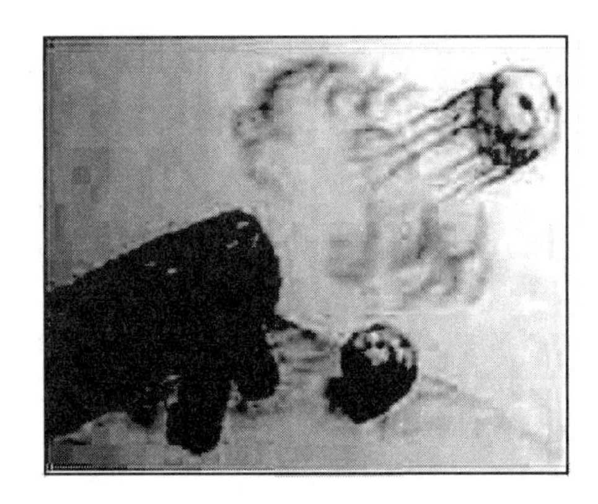

13세기 돌을 이용하여 적 위협(흑색화약)

(3) 물맷돌 총

14세기 슬라이스 해전시 사용(영국)

1340년 영국은 현대 소화기탄의 시초라고도 할 수 있는 활의 탄성력을 이용한 화살대신 돌을 탄환으로 사용함으로써 적을 사상케 하는 물맷돌 총을 개발하여 슬라이스 해전에서 사용하였다.

(4) 포탄의 등장

15세기 연철 및 주철을 이용한 포탄을 개발하여 성을 방어하거나 해전에서 사용할 수 있도록 나무상자에 탄약을 보관하여 군함에 적재할 수 있는 포탄이 등장하였다.

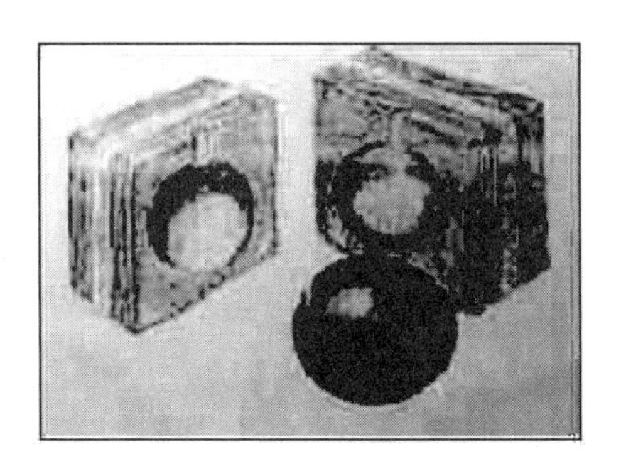

15세기 수성(守成)을 위한 포탄(운반상자)

다. 근대

화약 발명을 계기로 근대에 들어서 화포의 발달과 함께 살상 위력을 증대시킬 수 있는 형태로 변화하였다. 근대의 두드러진 특징은 다양한 화포의 발달과 뇌관탄약, 강선탄약, 약협탄약 등이 등장한다. 우리나라는 대장군포, 소포, 승자총통, 신제총통, 황자총통, 청동제 총통, 현자총통, 비격진천뢰, 지자총통 등 다양한 신형 화포를 개발하였다.

(1) 대장군포

15세기 조선 초기 사용(대장군포)

대장군포는 고려말 최무선이 설치한 화약국에서 수철(水鐵)로 만든 화포로서 약실에 불을 붙여 발사하였고, 포에 운반용 손잡이가 달려 있다.

(2) 신제총통

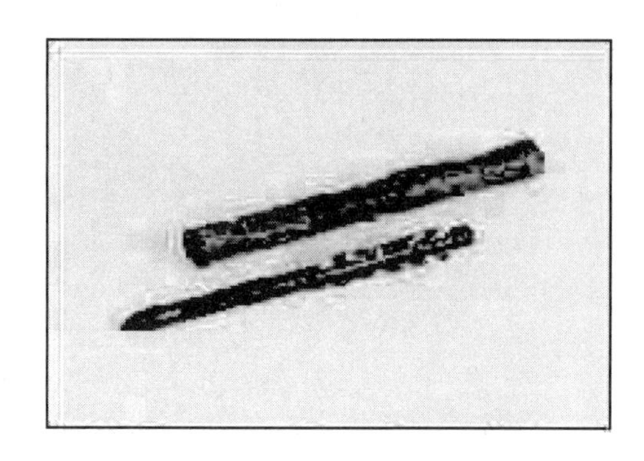

15세기 중엽, 조선 세조(신제총통)

신제총통은 지화식 점화법(指火式 點火法)의 화기로 사람이 들고 말 위에서 목표물을 조준하여 화살을 발사하는 무기로 현대식 소총과 유사하다.

(3) 비격진천뢰

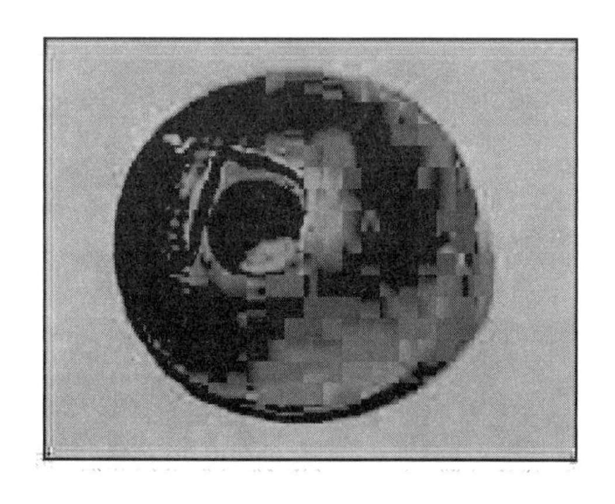

16세기 조선 선조시대(비격진천뢰)

비격진천뢰는 조선 선조 때 이장손이 발명한 폭탄으로서 화포의 일종인 완구에 장전하여 발사함으로써 인마살상용으로 사용되었으며, 이후 현대식 화포와 유사한 소포를 비롯한 탄약저장 및 운반용 장식물까지 등장하게 되었다.

소포(1870년대 조선시대)

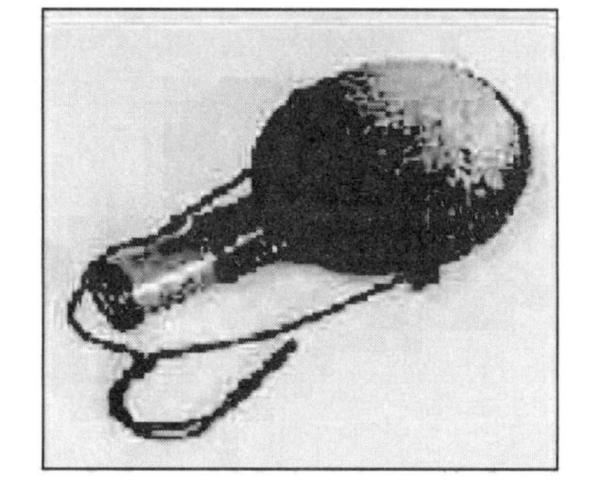

가죽으로 만든 화약통(조선시대)

(4) 뇌관/강선 탄약

1820년경 포탄에 폭발뇌관을 장착함으로써 포탄의 위력과 성능을 향상시켰으며, 또한 기존의 원형포탄을 길이형으로 변형하여 사거리 연장, 탄약의 비행간 안전성, 그리고 위력을 향상시켰다. 1846년 영국과 이탈리아는 탄약의 외부에 강선을 넣은 강선탄약을 만들었다. 이것은 탄약이 발사되어 비행시 회전력을 부여함으로써, 탄약의 공기저항 감소와 사거리 연장 및 명중률을 향상시켰으며, 본격적인 물리학을 적용하는 탄약이 등장하게 되었던 것이다.

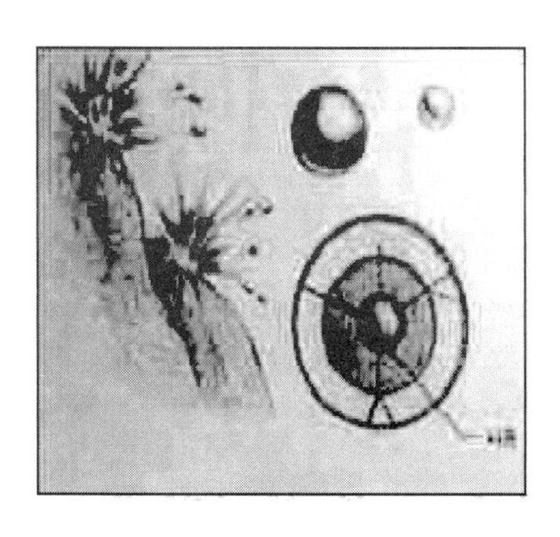

뇌관 장착 포탄 등장(1820년)

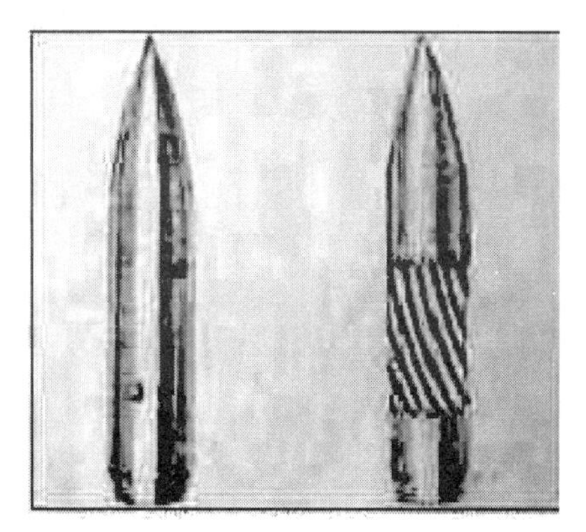

강선 탄약(1846년 영국/이탈리아)

(5) 약협 등장

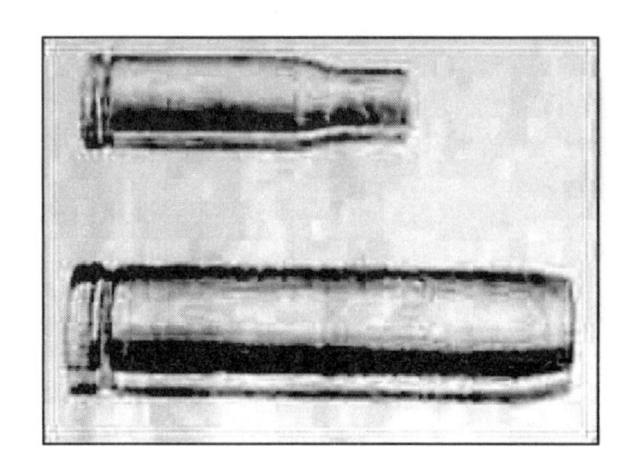

105mm 약협 등장(1890년 영국)

1890년 영국에서는 놋쇠를 이용한 약협을 개발하여 기존 탄약의 추진 성능을 현저히 향상시킴으로써, 장거리 전투능력과 보병의 화력지원을 가능하게 한 105mm 포탄약을 개발, 세계 1·2차 대전시 가장 많이 사용했던 화포가 되었다.

(6) 고성능 화약(5)의 등장

과거의 화약은 단순히 자연물을 이용한 탄약이었으나, 인류의 문명이 발달하면서, 각 화학물질의 본래 특성을 이용한 혼합물질을 만들어 기존의 화약보다 더욱 강력한 폭약을 만들게 되었다. 초기에는 광산 등의 개발을 위한 산업용으로 사용하다가 제국주의 탄생과 세계열강의 팽창정책으로 전쟁에 사용할 수 있도록 대량생산체제를 갖추었으며, 세계대전이라는 인류의 약육강식(弱肉強食) 먹이사슬을 형성하게 한 직접적인 도구로 사용되었다. 지금도 세계 각 지역에서 인종, 종족, 국익 등의 이해관계로 인한 크고 작은 분쟁 및 전쟁에 살상용 무기로 사용되고 있다.

(5) **고성능 화약** : 13C 흑색화약 출현 이후, 1838년 솜을 니트로화한 니트로셀룰로오스, 1846년 니트로글리세린, 1863년 TNT, 1867년 다이너마이트, 1889년 RDX, 1891년 PETN 및 20C에 Composition 계열의 혼성화약이 개발되었다.

라. 현대

현대에 들어서 본격적으로 제국주의의 탄생과 열강들의 주도권 경쟁, 민주주의와 공산주의 양 진영의 이념 대립 등으로 인한 군사무기 경쟁은 더욱 치열해져 기존의 재래식 무기와 신형 첨단의 전략·전술무기가 등장하였고, 이러한 신형 첨단 무기체계는 곧 국가위상을 상징하기도 한다. 또한 핵폭탄, 수소폭탄, 화학·생물학 무기 등 대량 살상무기가 등장하여 각국마다 전쟁억제력 및 위협무기, 국익을 위한 협상용으로도 사용하고 있다.

(1) 재래식 탄약(Conventional Munition)

1·2차 세계 대전시 인·마 살상용으로 제작된 탄약으로 소총탄, 기관총탄, 대전차탄, 박격포탄, 포병탄, 지뢰 등 다양한 재래식 탄약이 사용되었다.

(2) 미사일(Missile)

1942년 2차대전 말기에 독일은 펄스제트엔진(Pulse-Jet-Engine)을 장착한 무인비행기 FIL03호를 개발했는데, 여기에 900kg의 폭약을 적재한 사거리 280km의 V1로켓을 개발하였다. 1944년 6월 개발이후 약 10,000발 이상을 발사하여 영국을 공격하였으나, V1로켓은 비행속도가 당시의 전투기와 비슷하여, 비행중 전투기나 대공포에 격추되어 약 2,400발 정도만 런던에 떨어졌다. 1942년 10월 독일은 다시 초음속, 사정거리 320km의 A4로켓을 개발하여 발사실험에 성공한 후, 이 로켓에 750kg의 화약탄두를 장착한 V2로켓을 개발하였으며, 1944년 9월 6일은 파리로, 9월 8일은 런던으로 발사 한 이래, 1945년 3월까지 1,300여기를 발사하였는데, 이중 약 520발이 런던을 타격하였다.

독일은 이러한 축적된 로켓과 무인항공기 제작경험을 바탕으로 2차대전 말기 최초의 미사일이라 할 수 있는 유도로켓 추진 공대공 미사일인 X-4를 개발하기에 이르렀다. 2차 대전이 연합군의 승리로 끝남에 따라 독일의 V-1 무인항공기 및 V-2로켓에 대한 기술자 및 과학자는 미국과 소련에 각각 망명 및 포로로 끌려갔으며, 결국 냉전시대에 양국의 본격적인 우주개발 경쟁과 미사일 개발에 박차를 가하게 되었다. 이는 현재의 대륙간탄도미사일(ICBM)(6), 순항미사일(Cruise Missile), 인공위성 등 항공기술로 더욱 발전하는 계기가 되었으며, 순항미사일은 인공위성에서 촬영한 지형 Data를 컴퓨터에 입력시켜 실제 비행경로에 맞추어 가며 20~100m의 초저공을 장거리 비행하는 미사일로서 현대 미사일의 결정체라 할 수 있다.

(3) 원자탄(Atomic Bomb)

자연법칙을 찾는 과정에서 알게 된 원자력은 곧바로 원자탄으로 개발되었다. 19세기까지 뉴턴(Newton)의 역학, 즉 미·적분학을 기초로 한 물리학 이론(F=ma, $E=mv^2$)이 물리학자들을 지배하고 있었다. 그러나 1905년 아인슈타인은 특수상대성 이론을 발표한다. 즉, 어떤 물체의 에너지는 물체의 질량과 빛의 속도를 곱한 것과 같다는 것이다. 이러한 아인슈타인의 이론을 처음에는 물리학자들이 믿지 않았으나, 연구를 거듭할수록 원자는 독특한 입자들로 구성되어 있음을 알게 되었다.

원자탄 투하(1945년 8월 6일, 9일)

(6) ICBM : Intercontinental Ballistic Missile

1933년 히틀러와 국가사회주의자(나치)들이 독일을 차지하고 유대인과 주변국들을 합병하였으며, 독일에서 핵분열을 성공적으로 마치게 되자, 헝가리계 유태인들은 아인슈타인을 설득하여 루즈벨트 대통령에게 탄원서를 보낸다. 미국정부는 별 관심이 없었으나 1941년 2월 일본이 진주만을 기습하기 직전에 원자탄 제작을 착수, 1942년 6월 Manhattan Project를 수립, 많은 과학자들을 동원(총 15만 명, 약 20억 달러 이상 투자)하여 추진하였다.

1945년 8월 6일 08시16분 02초에 Little Boy라는 우라늄탄이 폭발하여 태양빛보다 3,000배, 순간섭씨 온도 2,000만도 이상의 고열과 함께 히로시마가 폐허로 변하고, 다시 두 번째 Fat Man이 사흘 뒤인 8월 9일 오전 11시 2분 나가사키에 투하됨으로써 6년 동안 나가사키 인구 21만 명이 핵폭발과 방사능으로 사망하였다.

(현재 사용되는 각종 탄약)

(105mm화포, 1940년대 미국대량생산)

(K-9 자주포)

(밀집표적 제압을 위한 다련장로켓)

이후 원자탄의 위력을 실감한 선진국과 특히 경제력이 약한 일부 후진국은 원자탄 개발, 또는 획득을 위해 뛰어들었고 자국의 방어 및 공격용, 전쟁 억제력을 보유하기 위한 무기로 운용하고 있다.

2차대전을 기점으로 동·서 냉전시대는 가속화되고 두 강대국을 대상으로 한 세계적 양극화가 심화되면서 군비경쟁과 더불어 무기체계는 급속도로 발달하게 되며, 무기의 위력과 정밀도 면에서도 더욱 증대된 현대화된 무기들이 등장한다. 각종 소화기 및 중화기와 고착된 전선 돌파와 보병부대의 기동성을 보장하기 위한 화포를 대량생산하게 되었고, 밀집표적제압을 위한 다련장 로켓, 그리고 기존의 견인화포에서 기동부대의 기동성에 부응하고 화력지원 할 수 있는 자주포 등이 개발되었다.

마. 미래

세계 각국은 지금 역동적인 정보화시대 속에서 살아가고 있다. 대부분의 국가는 많은 경제력을 투자하여 과학기술 진흥을 이루고 있으며, 이러한 경제력을 바탕으로 한 기술력을 국방분야에 투자시 장차전은 예측 불가능한 전쟁양상으로 전개될 것이다.

전투에서는 목표물을, 국가간 전쟁에서는 국가적·전략적 중심을 정밀 선제타격함으로써 적의 전쟁의지를 말살하고 상대적으로 자국의 피해를 최소화할 수 있다. 따라서 미래에는 첨단화된 기술 중심의 군사력 건설 국가가 약육강식의 전쟁에서 생존하게 된다는 것을 부인할 사람은 없을 것이다.

그러므로 미래 및 장차전은 과학 및 군사기술의 발달로 전략적, 국가적 중심(Center of Gravity)인 목표물에 선별, 정밀 타격함으로써 전쟁지휘체계를 조기 마비시키는 양상으로 전개될 것이다. 즉, 정밀타격 능력이 향상되어 핵심표적을 선별적으로 파괴시킬 뿐만 아니라 적 중심에 직접 타격하여 적의 전쟁수행체계를 마비시키는 양상으로 전개된다는 것이다.

세계 초강대국 미국이 주도한 걸프전과 이라크전은 미래 무기체계의 발전상태를 본다 해도 과언이 아니다.

미국은 이라크를 공격시 작전을 4단계로 구분하여 수행하였는데, 이라크의 대량살상무기 위협을 사전 제거, 무력화하기 위해 1단계는 선별정밀타격으로 전쟁지휘부 무력화, 2단계는 토마호크 순항미사일, 스텔스 폭격기 등을 이용한 대규모 공습('91년 Gulf전의 10배) 및 방공망 제압으로 제공권 장악과, 특수부대를 투입한 비행장, 유전지대, 병참선 확보, 3단계는 전략적 중심지인 바그다드를 확보하기 위한 이라크군의 주력을 격멸, 4단계는 저항거점을 무력화, 잔적을 소탕하는 단계로 전쟁을 수행하였다.

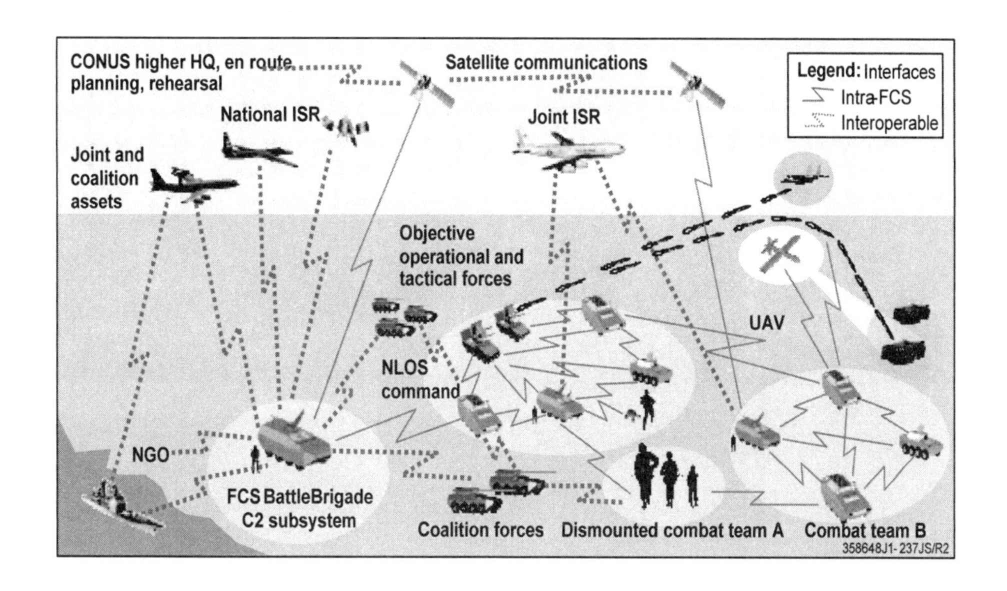

Future Combat System

이라크전의 특징은 인공위성, 무인항공기, 조기경보통제기(AWACS)(7) 등을 이용한 목표물을 정밀탐지(SR, Surveillance and Reconnaissance)하여 토마호크, JDAM(Joint Direct Attack Munition)등을 목표물까지 유도함으로써 선별 정밀 타격전을 수행하였다. 이는 전쟁을 가시화(Visualization)함으로써 거리를 초월한 장거리 정밀교전을 가능케 하였고, 전자전, 비선형전이 수행됨을 예고하는 것이었다.

미국은 미래 전투체계 구상에서, 인공위성, 정찰기, 무인항공기(UAV, Unmaned Air Vehicle) 등을 통한 표적의 위치정보를 확인하여 C4I(Command, Control,

(7) AWACS : Airborne warning and controlling system

Communication, Computer, and Intelligence)시스템을 이용한 자동조준, 발사, 타격임무를 수행하는 것이다. 즉, 미 본토(CONUS, Continental US)의 고위 지휘관들이 인공위성을 통해 획득된 정보를 기초로 전략계획을 수립하고, Simulation을 통한 전략계획 보완/예행연습, 그리고 최종 완성된 계획을 사전 전개된 해상 및 육상 전투여단의 지휘통제 시스템에 하달함과 동시에, 이러한 지휘체계를 작전 지휘사령부와 동맹군/연합군, 전방 전투부대에 종합적인 정보 감시망 및 전장가시화 자산을 제공함으로써 전투능력을 극대화하는 것이다.

잠수함에서 발사되는 Toma Hawk 미사일

목표물을 향해 비행하는 Toma Hawk 미사일(8)

따라서 미래에는 인공위성, UAV, 정찰기 등을 이용한 지형 및 목표물에 대한 정보를 실시간 전략적 · 작전적 지휘관 및 전투부대에까지 정보를 공유하고, 지휘결심을 기초로 목표물을 선별 타격하는 정밀 유도탄약으로 발전할 것이며, 이러한 탄약은 인공지능을 포함한 MMW(Milli Meter Wave) Radar 및 LADAR(Laser Radar), IR(Infra Red)센서 등을 이용해 유도탄의 항로상 장애물을 자동탐지 및 목표물을 자동 추적하여 정밀 선별 타격할 수 있는 탄약으로 발전하고 있다.

Gulf전과 이라크전을 통해서 보았듯이 현대의 전투개념은 다량의 탄약소모를 위한 전쟁양상보다는 주변 손상 없이 전쟁의 목표를 달성할 수 있도록 표적만 선별하여 정밀 타격할 수 있는 방식으로 전쟁양상이 변하고 있으며, 경제성과 무기효과를 비교시 소규모의 부대운영과 소량의 탄약으로 동일한 임무를 수행 할 수 있는 개념, C4I체계와 연동을 통한 정확한 표적 정보획득 및 정밀타격에 의한 통합화력 체계를 요구하고 있다.

이러한 선진국의 기술발전추세에 따라 우리나라의 향후 탄약도 C4I체계를 이용하여, 피 · 아 전장상황을 가시화(Visualization)함으로써, 먼저보고(Pre-Sur-veillance), 먼저 결심(Pre-Decision)하며, 먼저 타격(Pre-Strike)할 수 있는 체제로 발전해야 한다.

선진국의 향후 탄약 기술발전 추세를 보면, 2010년경까지 GPS 및 탄도를 수정할 수 있고, 지능형으로 표적을 인식 및 감지할 수 있는 Hybrid[9] 및 활공비행탄약[10]을, 그리고 장기적으로는 탄두를 지능화하여 탄도를 수정할 수 있는 중 · 장거리의 초정밀 탄도 수정형 활공비행탄약을 보유할 것으로 추정된다.

(8) Toma Hawk : 미국의 대표적인 Cruise Missile(순항미사일)로 인디언의 '전투용 도끼'에서 이름이 유래되었다. 잠수함, 선박, 지상 발사대, 항공기 등 발사수단이 다양하며, 작은 단면과 저공비행으로 레이더 탐지가 어렵고 터보 fan 엔진이 열을 거의 발산하지 않으므로 적외선 탐지가 곤란하다. 신형은 위성으로 유도되며, 1984년 실전 배치되어 1991.1.17일 Gulf전시 처음 사용되었다. Gulf전시 288기가 발사되었고, 이후 1993년 이라크 공습시, 1998년 아프가니스탄 빈라덴 캠프 폭격시, 1999년 NATO의 유고 공습시, 그리고 2003년 3월 이라크 공격시, 각각 전략적 목표를 타격하는 중대한 역할을 수행하였다. General Dynamics사로부터 레이시언사가 인수/생산중이며, 사거리는 1,600km, 목표물 오차 5m내의 정밀유도미사일이다.

(9) **Hybrid탄약** : Hybrid는 혼성, 잡종이라는 뜻으로 여러 가지 탄약, 또는 비행체의 특성을 혼합하여 제작한 탄약

(10) **활공비행탄약** : 일반적으로 비행기의 엔진출력을 줄이거나 정지시킨 상태로 비행하는 것을 활공이라 하며, 탄약이 목표물을 향해 비행중 추진제 대신 내리 바람을 이용한 무동력의 낮은 비행으로 목표물을 타격하는 탄약

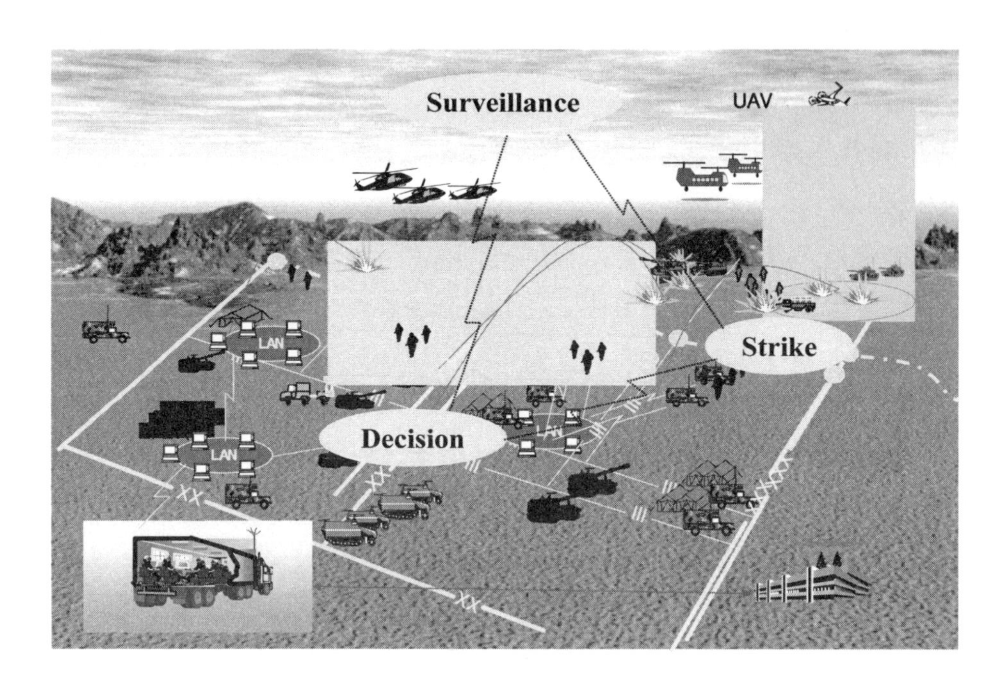

C4I 체계 구축

우리나라의 향후 탄약발전 추세를 보면, 2010년경 MMW/IR 센서를 이용한 장사정 활공기술을 갖춘 탄약, 2020년엔 GPS를 이용한 차세대 인공지능형 탄약을, 2030년경엔 이러한 기술을 기초로 고성능, 정밀 활공 지능형 탄약으로 발전할 추세이다.

선진국 기술발전 추세

구분	현재	중기(2005~2009)	장기(2010~)
사거리 연 장	· RAP, BB탄 운용 · Hybrid탄(RAP+BB)연구 · 활공비행(Fin, RAP)연구	· Hybrid탄 운용 · 활공 비행탄 운용	· 활공비행탄 운용 (100km급)
유 도 조 종	· 탄도수정 연구	· GPS, 탄도수정탄 운용	· 초정밀 탄도 수정탄 운용
탄 약 지능화	· 표적 감지탄약 운용 (MMW, IR)	· 성능개량 표적 감지 탄약 운용 · 운행형 자탄연구	· 운행형 자탄 운용

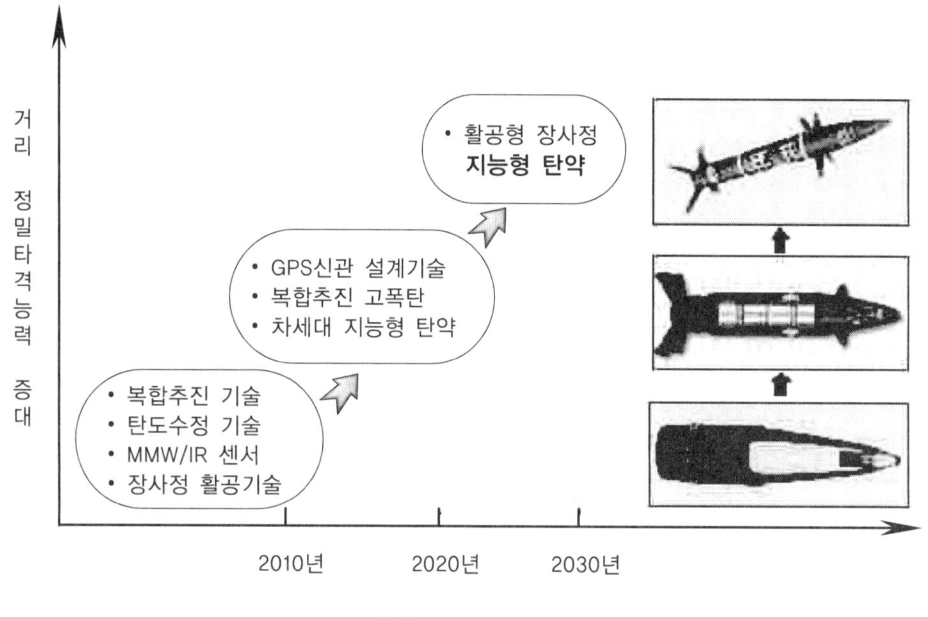

향후 탄약 발전 전망

이러한 미래 전장 환경 변화에 부응할 수 있도록 탄약의 기능과 역할도 현재의 단순한 무기의 부수적인 역할로 인식하기보다는 국가적 · 전략적 무기로 변화하는 세계 추세를 직시하고, 탄약의 발전을 위하여 새로운 시각에서 노력해야 한다.

3. 탄약의 중요성 및 특수성

가. 탄약의 중요성 및 특수성

탄약은 전쟁수행의 핵심물자로서 전쟁의 승패를 좌우하며, 고가품인 동시에 화력과 기동의 근원이 되고 장비 및 시설을 파괴하는 능력을 갖고 있다.
또한 탄약자산규모가 육군 군수자산의 30%를 차지할 정도로 방대하고, 탄약저장지역이 전후방으로 광범위하여 관리소요가 많으며, 비축탄약 순환사용 제한 및 장기관리에 따른 탄약의 성능을 보장할 수 있는 기술관리 소요가 증가하는 것을 고려할 때, 탄약관리의 중요성이 더욱 강조되어야 할 것이다.

이러한 탄약의 특수성을 살펴보면 다음과 같다.

(1) 탄약은 부대가 전투임무를 수행함에 있어서 전술지휘관이 전장의 승패를 좌우할 수 있는 중요한 수단중의 하나이며, 사격과 기동력에 따라 탄약소요가 변화하게 된다. 즉, 전투가 치열해지면 탄약의 소요는 증가되고 전투가 치열한 부대에 대한 지원도 METT-TC[11]요소를 고려하여 우선 지원 한다.

(2) 탄약은 적을 저지, 제압, 격멸, 기만, 무력화하는데 사용된다.

(3) 탄약은 적의 기동력을 차단하고 아군의 기동을 보장하는 대기동의 역할을 한다.

(4) 탄약의 보급은 군수활동이지만 탄약소모는 전술적 지휘결심을 필요로 하는 사항으로, 작전분야 즉 지휘관이 전술상황에 따라 보급된 탄약을 어떻게 사용할 것인가를 결정하게 된다.

(5) 탄약 가용량이 충분시 전투요원들은 동요 없이 전투에 전념 할 수 있으며 이는 심리적인 전력의 하나가 된다.

나. 전장 6대 기능과 탄약과의 관계

전장기능은 부대가 전장에서 부여된 임무를 달성하기 위하여 필수적으로 갖추어야 할 상호 유기적인 관계에 있는 제반 군사적인 역할과 활동으로 지휘·통제·통신기능을 중심으로 6개 요소로 구성되어 있으며, 이들 전장기능을 체계적으로 활용함으로써 전투력의 효율성이 극대화된다. 각 기능에 있어서 탄약관련 사항을 살펴보면 다음과 같다.

(11) METT-TC : Mission, Enemy, Terrain and weather Troops and Time available, Civilian consideration(임무, 적, 지형 및 기상, 가용시간, 민간인)

(1) 지휘 · 통제 · 통신

전장 가시화를 위한 중요한 요소로서 상 · 하급 및 인접부대간 원활한 지휘 · 통제 · 통신은 실시간 정확한 판단과 결심, 그리고 적시적인 명령과 통제가 가능하게 한다.

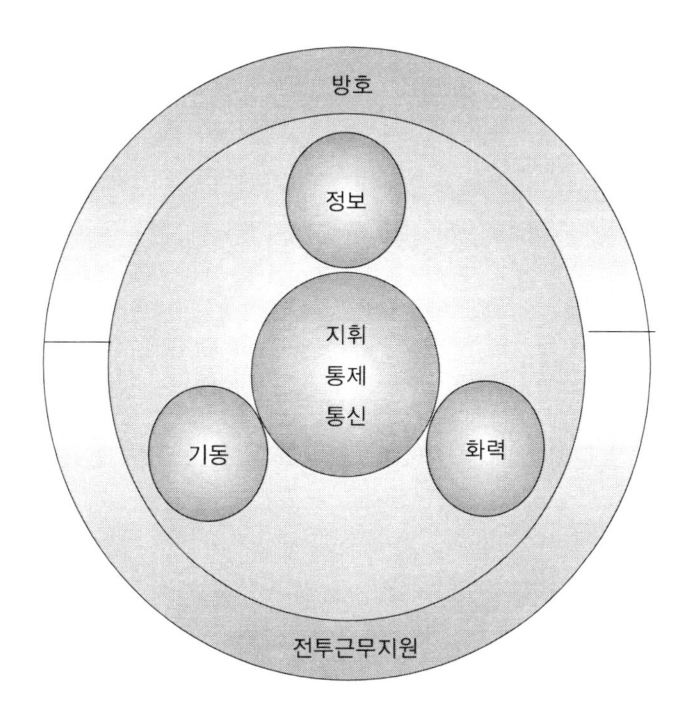

전장 6대 기능

전투부대와 연계된 탄약부대의 지휘 · 통제 · 통신요소는 궁극적으로 전투부대에 필요로 하는 탄약의 소요량을 필요한 장소에 지원하는 탄약지원 목표를 달성할 수 있다.

(2) 정보

변화하는 전장상황에 실시간 최신의 첩보 및 정보를 수집하여 탄약지원 계획 수립시 반영하여야 하고, 이러한 상대적 정보우위 달성은 탄약지원을 원활하게 하며, 나아가 전투부대의 승리를 보장할 수 있다.

(3) 기동

기동은 정보, 화력, 방호기능 등의 제 전장기능과 결합되어 운용되는 사항으로 탄약 또한 기동하는 전투부대에 대한 지원보장을 위해 기동성이 보장되어야 하며, 이는 화력과 방호 활동을 연계하여야 한다.

(4) 화력

화력은 적의 전투력을 제압하거나 무력화 및 파괴하여 아군의 기동을 지원하며, 적의 기동을 방해 및 저지시키고, 중심을 파괴하는 기능으로 이러한 화력 발휘는 탄약이 뒷받침되어야만 가능한 것이다.

(5) 방호

방호는 전장의 각종 위협으로부터 아군의 전투력을 보존하는 것으로 탄약부대는 탄약의 특성상 광범위한 지역을 관리하고 있으며, 적의 우선적 타격대상임을 고려시 다양한 방호활동을 통해 적으로부터의 피해를 방지하고 전투력을 보존해야 한다. 또한 탄약지원시설을 보호하기 위하여 적의 화력지원수단을 사전 무력화함으로써 적의 공격 능력을 약화시키고 상대적 아군의 탄약시설을 보호하여 전장 6대 기능을 보장할 수 있다.

(6) 전투근무지원

지속적인 작전수행을 보장하는 작전수행의 기반적 기능으로서 군수분야의 탄약은 탄약현황의 유지, 탄약소모의 통제, 지원가용량 판단, 탄약보급소 위치변경, 가동 탄약보급소 운용, 탄약사무소 및 탄약전환보급소 통제/운용 등을 통해 부대의 전투력을 유지하여야 한다.

다. 군수물자와 탄약의 비교

군의 기본적 구성요소는 병력과 군수물자로 볼 수 있으며, 여기에서 군수물자는 광의(廣義)적인 의미로서 군사활동을 위한 장비, 보급품과 이를 정비, 운용 및 지원하는 데 필요한 모든 군수품을 뜻한다. 탄약이 일반물자와 구별되는 특징은 작전적인 물자로서 소요판단과 사용 및 조정 통제를 작전계통에서 한다는 점이다. 또한 탄약지원시설이 광범위하고 가격이 고가여서 관리하는데 많은 관심과 주의가 요구된다.

라. 군수품 기능분류상 탄약의 역할

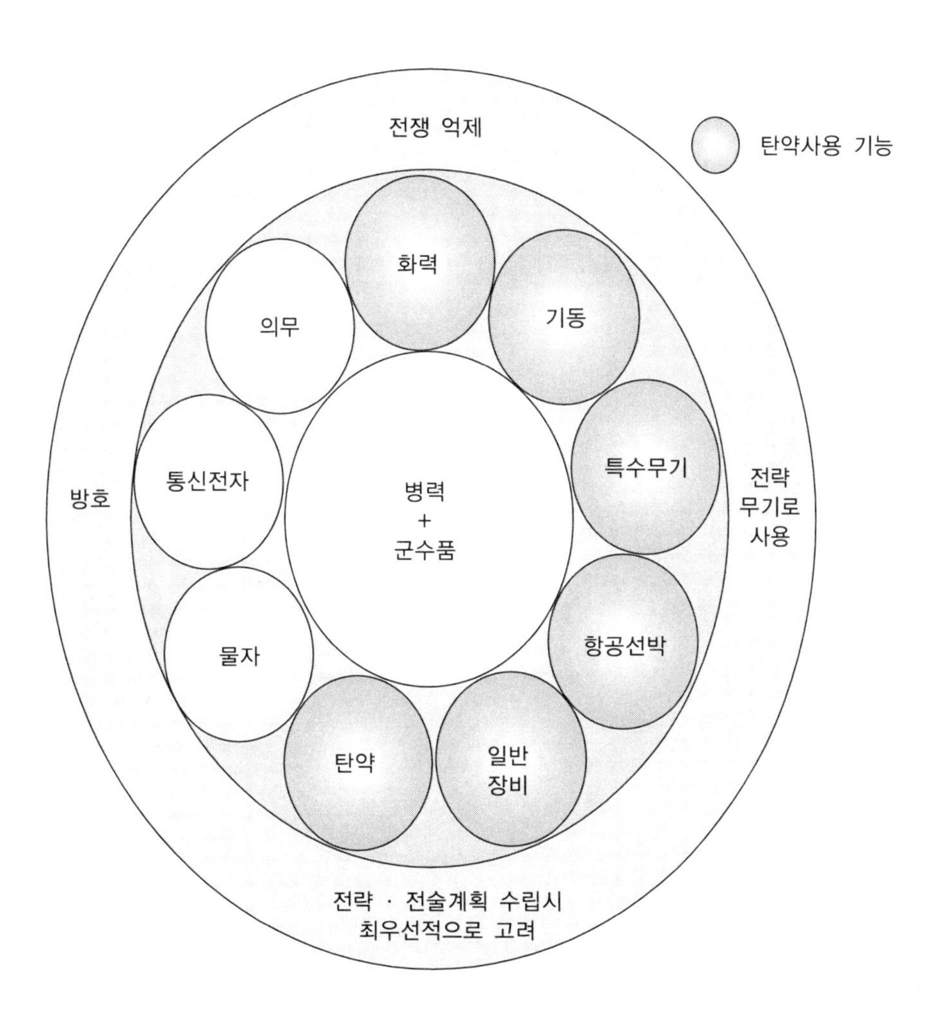

군수품 9대 기능과 탄약의 관계

군수품[12]을 운용하는 전투근무지원은 이라크전을 통해서 보았듯이 전략과 작전에 직접적인 영향을 미쳤는데, 이라크군은 유프라테스강과 티그리스강을 연하여 탄약을 지원하는 미군의 신장된 병참선을 습격, 바그다드로 향하는 미군의 전진속도를 둔화시켜 단기결전을 계획한 미군의 전략에 큰 영향을 미쳤던 것이다.
군수품 각 기능별 탄약이 운용되는 기능은 다음과 같다.

(1) 화력

전투부대의 전투력 발휘와 대화력전 수행시 필수적인 장비로 소화기 및 기관총, 무반동총, 박격포, 화포, 자주포 등이 해당된다.

(2) 기동

전투부대의 기동전 수행에 필수적인 M계열 및 K계열 전차, K-200계열 장갑차 등이 해당된다.

(3) 특수무기

적의 공중공격으로부터 아군의 전투력을 보호하기 위한 발칸, 비호와 밀집부대, 기계화부대 제압을 위한 130mm 및 대구경 다련장 로켓, 토우 등이 해당된다.

(4) 항공/선박

제공권 장악을 위한 500MD, AH-1S, 각종 전투기 등의 항공기능과 해상권 장악을 위한 함정, 잠수함 등의 선박 기능이 해당된다.

(12) **군수품** : 대한민국 현행법령 "군수품 관리법 시행규칙" (국방부령 제464호, '96.1.15) 제 3조에서 군수품의 기능별 분류를 화력, 기동, 통신전자, 특수무기, 함정, 항공, 일반장비, 탄약, 의무, 기타 일반물자 등 10개 기능으로 분류하고 있으며, 육군규정 제411('03.1.1) 군수품 분류 및 관리책임규정에서는 화력, 기동, 특수무기, 통신전자, 항공/선박, 일반장비, 물자, 탄약, 의무 등 9개 기능으로 분류하고 있다.

(5) 일반장비

전투부대의 기동전 수행을 위해 기동로를 개척하는 MICLIC[13] 및 적의 기동을 저지 / 방해하기 위한 지뢰살포기(K138) 등의 일반장비 기능이 해당된다. 이와 같이 탄약은 군수품 9대 기능 중 화력, 기동, 특수무기, 항공/선박, 일반장비, 탄약 등 6개 기능에 공통적으로 탄약이 운용되고 있으며, 또한 기능을 초월한 전략적 전쟁억제와 전투지속능력 유지, 방호, 그리고 전략·전술계획 수립시 최우선적으로 고려해야 할 핵심요소[14]로 볼 수 있다.

(13) **MICLIC** : Mine Clearing Line Charge

(14) **핵심요소(탄약의 중요성)** : "A soldier can survive on the battlefield for months without mail, weeks without food, days without water, minutes without air, but not one second without ammo!", 미 야교 FM 9-6, 작전전구에서의 탄약지원(1998. 3. 20)

MEMO

Section
02 탄약 관리

1. 개요

국가의 3대 구성요소는 영토(Territory), 국민(Nation), 주권(Sovereignty)이며, 이중 영토는 지상, 영공, 영해를 포함한다. 한 민족이 국가를 이루기 위해서는 국가의 3대 구성요소를 갖추어야 하고, 주권을 갖고 있다는 것은 영토 즉, 지상, 영공, 영해에 대한 소유권과 이를 수호할 수 있는 군사력을 갖고 있음을 의미한다. 군사력은 경제력과 함께 국토를 방위하기 위한 중요한 요소이며, 무기와 탄약은 군사력, 즉 힘을 상징하는 불가분의 관계에 있다.

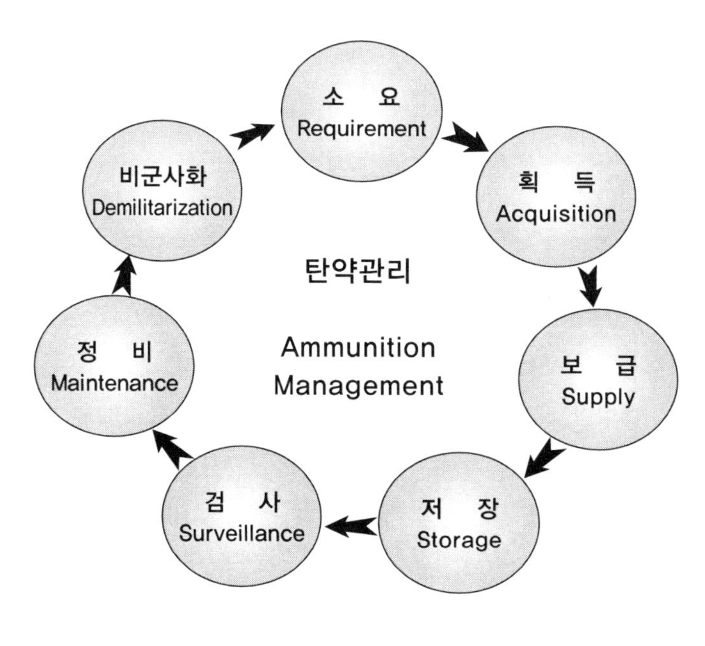

탄약관리 활동

그러므로 탄약의 성능에 따라서 전투우위보장은 물론 전쟁에서 승리를 보장할 수 있으며, 이는 탄약의 성능이 국가방위를 좌우할 수 있는 중대한 요소임을 의미한다고 할 수 있다. 탄약관리는 단순한 저장관리가 아니라 소요, 획득, 보급, 저장, 검사, 정비 및 비군사화에 이르기까지 탄약에 관련된 병력, 자금운영, 탄약특수공구를 포함하는 물자, 시설 등을 기획하고 조정, 통제하는 제반 관리활동인 것이다. 이러한 관리활동을 효과적으로 수행함으로써 사용부대에 대하여 성능(Performance)과 신뢰성을 보장할 수 있는 탄약을 지원할 수 있다.

2. 소요(Requirement)

가. 소요의 개념

소요는 소요기관, 즉 작전을 수행하는 기관에서 일정한 임무를 수행하기 위하여 기간 중에 목표달성을 위하여 소요되는 자원의 수량이나 예산 그리고 지원기관의 지원을 위한 운영소요 등을 의미하는 것이다. 이러한 소요는 예측이며, 이는 장차 수요자가 얼마나 요구할 것인가의 량과 이를 지원하기 위한 적정 운영소요량을 판단하는 것이다.

(1) 소요기준 표준화

소요산정을 위한 탄약소요기준 연구결과에 대하여 실무적용의 적합성 여부를 검토 및 보완하고, 신뢰성 제고를 위하여 소요기준을 표준화 한다. 표준화 대상은 소요관련 용어, 소요기준 명칭, 산출제원, 산출기간 및 단계 구분, 정책적으로 적용하는 기간, 적용제대 및 범위 등이며, 작전계통의 정책부서에서 표준화에 필요한 워게임 모의자료, 작전영향요소 등을 분석평가실에 제공하면, 분석평가실에서 소요기준에 대한 연구를 한다. 중 · 장기 표준화 계획에 의거 신규로 표준화 되는 전시 소요기준 명칭은 연구결과 적용지침서 통보시 부대별 관련부서 및 기관에 전파된다.

(2) 소요 기준

분석평가실에서 전시소요산정모델「워게임 모델과 자원소요산정모델」을 활용하여 연구하고, 모델 제한사항에 대해서 전사자료, 델파이기법 등 별도의 방법을 활용하여 소요기준을 설정한다.

소요기준 산정은 탄약 소요산출모델(MCON : Munition CON-sumption model)을 이용하여 산출하고, 각종 연습이나 훈련시 연구 결과에 대한 검증을 실시하여 연구결과 적용시 발생될 수 있는 제반 문제점을 지속적으로 보완한다.

주요 장비의 탄약소요량은 전구평가모델 모의결과자료를 이용하고, 기타 장비에 대한 탄약 소요량은 전투표본산출모델 모의결과를 이용하여 해·공군 지상공통 탄약을 포함한 기간별 탄약 소요기준 및 소요량을 산출한다. 소요기준은 각종 군사정책문서 및 전력화 사업소요를 작성하는 데 기준이 된다.

(3) 소요보급률

소요보급률이란 한부대가 특정기간동안 제한 없이 작전임무를 수행하기 위해 소요되는 탄약의 추산량으로서, 화기로 발사되는 탄약은 일일화기당 발수로 표시하고, 기타 품목은 측정단위(개, 중량)로 표시하며, 전시소요산정 모델에 의한방법, 부대가중치에 의한 방법, 경험치에 의한 방법 등을 적용하여 산출한다.

(가) 소요산정모델에 의한 방법

부대목록, 편제표, 작전 영향요소별 가중치, 자원소요산정 기준을 기본 DB로 구축하여 프로그램에 사용자의 선택에 따라 자동적으로 탄약소요가 산출되도록 만든 전산프로그램을 이용하는 방법이다.

(나) 부대 가중치에 의한 방법

부대 임무, 작전형태, 피·아 부대배치 등의 3개 요소별 가중치를 델파이기법에 의해 결정하고, 부대별로 가중치를 부여하여, 부대의 소요보급률을 산출하는 방법이다.

(다) 경험치에 의한 방법

과거 경험에 의한 일일 소모량 또는 과거 소모 제원을 근거로 한 특정기간의 총 소모량을 산출하는 방법이다.

소요보급률 작성목적은 탄약 저장수준 설정 및 시설소요 판단자료로 활용하거나 통제보급률 작성시 부대별 할당비율 설정에 활용하게 된다.

(4) 탄약 기본휴대량(B/L)

탄약기본휴대량(B/L)이란 부대 내에서 항상 보유하도록 인가된 량으로서 정상적인 재보급이 이루어 질 때까지 부여된 전투임무를 수행하는데 필요한 예상소요량을 말한다. 탄약기본휴대량은 화기로 발사되는 탄약은 화기당 발수로, 기타 탄약은 측정단위로 표시한다.

3. 획득(Acquisition)

가. 획득의 개념

획득은 소요량에 대하여 가용 예산과 시설, 인력, 기타 요소를 고려하여 확보하는 것 또는 그 과정과 의미한다. 탄약을 획득하는 일련의 과정을 조달(Procurement)이라고도 하는데, 조달은 일반적으로 구매와 동의 개념으로 인식하는 경향이 있으나 구매와 조달은 획득 방법에 있어서 분명히 구분하여 인식해야 한다. 구매(purchasing)란 「대가」를 지불하고 생산업체로부터 필요한 물자나 용역을 획득하는 것을 의미하며, 조달은 「대가」를 반드시 지불하는 것을 의미하지는 않는다. 즉, 외부로부터 무상으로 취득되는 경우도 있을 수 있고, 조직 내부에 의한 취득이나 제작/생산에 의한 취득도 가능하다. 따라서 구매와 조달은 획득의 각 부분 기능으로 인식해야 한다. 이러한 개념에서 볼 때, 조달은 구매 뿐 아니라 수량 결정, 수입, 검사 및 저장 등 일련의 활동을 포함하는 것으로 보아야 한다.

나. 자산 획득

구매와 조달을 통하여 획득된 탄약은 자산(Asset)으로서 작전목적에 맞게 전문적인 인력에 의하여 관리된다.
탄약의 가용자산은 교육훈련에 소요되는 운영용 자산과 전투임무에 소요되는 전투용 자산이 있다.
이러한 소요자산은 국내 또는 해외에서 업체 생산능력을 고려하여 획득한다. 작전이 전개됨에 따라 일부 탄약은 부족할 수 가 있으므로, 이때는 탄약의 가용자산과 작전계획, 소요기준, 해외 재보급 소요기간 등을 고려하여 획득원별로 조달계획을 수립하여 확보한다.

4. 보급(Supply)

가. 개요

보급이란 물자의 계속적인 공급행위라고 할 수 있다. 즉, 조직활동에 필요한 물자 및 량을 요구하는 시간 내에 요구하는 장소로 공급되어야 어떤 조직의 궁극적인 목표를 달성할 수 있는 것이다.
이와 같이 필요한 품목과 양을 필요한 시간 내에 사용자, 또는 일정한 장소에 공급하는 일련의 과정을 보급이라고 한다.
이러한 일련의 과정을 통하여 보급의 원활한 운용을 기함과 동시에 합리적인 재고 확보를 도모하기 위하여 설정된 재고량을 적정재고량이라 한다.

적정재고량은 일단 확보되면 수요에 따라 공급되는 것이므로 재고량이 감소되면 보충되어야 하며, 보충을 위해서는 발주(조달)하여야 하고, 청구 또는 발주된 량이 조치되어 납품됨으로써 수령/불출조치 또는 재고조절, 저장, 반납 등 일련의 보급 운용과정을 거쳐 적정 재고수준을 유지할 수 있다.

나. 보급의 기본 원칙

보급의 원천은 수요이다. 즉, 보급의 기본요소는 수요기관에서 정확하게 판단할 수 있는 것이기 때문이다. 수요기관에서 어떤 물자가 얼마나, 어디로 공급하여 줄 것을 공급기관에 요구하지 않으면 공급(불출)조치를 할 수 없는 것이다. 따라서 보급의 기본 원칙은 수요기관의 요구(청구)에 의해서 물자를 공급하는 것이다.

이와 같이 수요기관의 요구(청구)에 의하여 자재를 공급하는 일련의 절차를 청구보급제도라고 한다. 그러나 조직의 특별한 환경, 가용자산의 량 등에 따라서 보급제도는 여러 가지의 보완된 형태로 발전되었다.

(1) 청구보급제도

청구보급제도는 앞에서 기술한 바와 같이 수요기관인 사용부대에서 공급기관인 지원부대로 필요한 품목을 필요한 양만큼 일정한 서식에 의하여 청구하면 이를 근거로 불출 조치하여 공급하면 수령하여 사용하거나 재고량을 보충 유지하는 보급제도이다.

(2) 할당보급제도

할당보급제도는 청구보급제도와는 달리 수요기관의 요구에 의해서 물자를 공급하는 방식이 아니라, 공급기관이나 상급기관에서 일방적으로 수요기관의 수요를 판단하여 수요기관별로 가용 재고 범위 내 또는 조달가능량 범위 내에서 각각 배분하여 공급하는 방식이다.

(3) 자동보급제도

자동보급제도는 수요기관에서 월말 또는 분기말 등 주기적으로 재고현황 또는 보유물자현황보고서를 작성하여 제출하면 공급기관 또는 상급기관에서 이를 종합하여 설정된 기준에 미달되는 수량과 현 재고량 및 가용자원, 수요기관의 중요성 등을 감안하여 통제한 다음 수요기관별로 공급량을 산정하여 공급조치를 하는 방식이다.

탄약보급이란 전투의 핵심물자인 탄약을 사용자가 요구하는 시간과 장소에 필요로 하는 탄종과 수량을 항시 사용가능상태로 적절한 분배방법을 통하여 지속적으로 공급하는 활동을 말하며, 탄약을 보급하는 분배방법은 사용부대에서 직접 차량과 병력을 대동하여 탄약보급소에서 수령하는 보급소분배와 탄약보급소에서 사용부대까지 탄약을 추진 보급하는 부대분배 방법이 있다.

CH-47 시누크 헬기를 이용한 탄약지원

전쟁에서 적시적인 탄약보급은 최소의 희생자를 내는 전략적인 성공에 기여할 수 있다. 반대로 탄약의 소요와 공급의 불일치는 전술·전략계획에 지대한 영향을 미치며, 결국 전술·전략적인 패배를 초래하게 된다. 탄약 보급은 각 전술지휘관의 요구를 충족시키기 위하여 전술상황에 따라 협조되고 조정되어야 한다. 전투양상에 따라 부대별 소요는 수시로 변할 수 있으며, 소요에 따라 필요한 량을 필요한 시간과 장소에 지원해야 하는 융통성 있는 탄약지원체계를 구축해야 한다.

다. 탄약 재보급(Resupply)

부대별 기본휴대량(B/L)을 사용하고 소모된 탄약은 재보급계획에 의거 보충한다. 재고가 제한되는 탄약은 부대임무를 고려하여 할당 보급한다.

라. 탄약 할당(AA, Ammunition Allocation)

일정기간 중 사용해야 할 탄약의 할당된 총량을 말하며, 사용부대장으로 하여금 작전계획의 일환으로 지정된 기간 중 작전수행을 위해 확보하거나 사용케 하기 위해 일정한 양을 지정하는 것이다.

마. NBC 상황하 부대 방호 및 지원

(1) NBC[15] 영향

지휘관과 각 참모는 METT-TC요소 중 적의 NBC 사용가능성에 대한 상황평가 및 첩보를 수집한다. NBC하에서는 훈련정도, 강인한 체력, 단결력, 고도로 훈련된 탄약부대가 임무수행을 보장할 수 있고, 대량살상 및

(15) NBC : Nuclear, Biological, Chemical

파괴로부터 피해를 최소화 할 수 있다.

NBC 상황하에서 장기간의 보호장비 착용은 임무수행 및 부대 기능발휘를 저하시키므로 인내력 향상을 위한 지속적인 훈련이 필요하고 지휘통제체계가 확립되어 있어야 한다.

(2) 대응 방법

오염회피는 피해감소와 생존성 향상을 위한 중요한 활동으로서 은폐, 소산, 기만, 엄폐, 보안으로 적의 사용 가능성을 감소시킬 수 있다. 오염회피 방법은 NBC 탐지장비 및 경보기를 이용하여 임무수행 가능 범위내 소산 및 은폐와 방호물자, 보호장비, 화학작용제 무능화 코팅페인트, NBC 수색/정찰 자산, 첩보자산, NBC방호 시설/천막 등 각종 수단을 이용하여 오염을 미연에 방지한다.

(가) NBC 정찰

화학부대 및 인근 전투부대와 상황전파/접수체계를 지속적으로 유지하여 적의 NBC 공격징후와 정찰시 작용제 종류, 오염 범위, NBC 지형 정찰결과, 탄약지원을 위한 지형정보, 기타 각종 전장상황 등을 최신화 한다.

(나) 탐지/식별(Detection/Identification)

모든 부대는 NBC 탐지/식별 활동을 실시한다.

(다) 초기 신속한 상황전파 및 NBC방호는 피해를 감소시키고,

적절한 화생방 방호활동을 보장할 수 있다.

(라) 제독 판단

1) 병력, 장비, 시설, 탄약 등 제독을 판단시 METT-TC요소를 고려하여 임무우선순위에 의거 제독

※ 치명성(lethality), 제독능력, 제독 장비, 오염 정도 등

2) 지휘관(자)은 MOPP[16]하 탄약지원을 위한 임무수행 평가 이동/기동, 지형숙지(방향), 부대지휘절차, 통신, 탄약수송, 탄약 취급장비 조작능력 감소 등

3) 개인 보호장비의 제한

지속적인 MOPP는 작용제의 점진적인 침투로 비오염지역으로 이탈 및 제독을 실시하여 MOPP 단계 완화/해제

- 급속제독은 다음과 같은 위험으로 생존성을 향상
- 병력의 작용제 노출 시간 감소
- MOPP 단계로부터 일시적인 완화(relief)
- 오염 확산 위험 방지

(마) 제독 원칙

1) 1원칙 : 신속한 제독

2) 2원칙 : 다음사항을 고려한 임무수행 위주 필수 제독

- Mission, 전장 템포, 탄약지원소요량
- 가용 시간(Time Available)
- 오염 정도(Degree of Contamination)
- 부대의 MOPP 단계 적용 시간
- 가용 제독 물자

3) 제독제/장비 가용시 현 지역에서 제독(오염확산 방지)

4) 임무에 영향을 주는 장비/물자 우선순위에 의거 제독

(바) 오염된 상황하에서 탄약 재보급(Resupply)

1) 비 오염된 탄약은 비 오염부대에 보급하고, 오염된 탄약은 오염된 전투부대에 보급하는 것이 원칙

2) 오염된 탄약은 불출하지 않는 것이 원칙이나 가용탄약 제한시 불출

3) 오염된 탄약은 긴급한 상황에서 다음 사항을 고려하여 비오염부대에 불출

(16) MOPP : Mission Oriented Protective Posture(임무형 보호태세)

- 탄약 가용량 및 재고 제한여부
- 오염 형태
- 오염 확산
- 제독을 위한 가용 자산

4) 지휘관의 위험에 대한 정확한 인식과 대응능력 발휘가 부대 임무 수행의 척도
   - 전장에서 화생방 위험 위치 식별
   - 화생방 무기 및 능력 식별
   - 오염방지를 위한 탄약소산/노출탄약을 보호덮개로 보호
   - 정보자산을 이용한 화생방 위험 정보 최신화(지휘통제실 및 화학부대와 지속적인 상황 유지)

5) 오염 탄약 수송간의 위험 감소 방법
   오염탄약은 탄약차량을 오염시키고, 탄약차량은 이동간 공기 및 바람에 의해 지형, 지역 주민(인구), 다른 차량에도 오염을 확산시킬 수 있음.
   - 가능한 오염 확산 방지
   - 이동관리반장/수송장교는 오염탄약의 보급로 선정/통제
   - 필요시 이동간 오염탄약 수송을 위한 주보급로 명시

5. 저장(Storage)

가. 개요

탄약저장은 탄약지원부대가 보유한 탄약을 사용자가 필요한 장소에 요구하는 수량을 사용가능상태로 보급할 때까지 그 탄약의 특성을 보존하고 관리하는 행위나 상태를 말한다. 또한 탄약저장의 목적은 기상변화에 따른 영향을 최소화하여 탄약의 질적 저하를 방지하는데 있으며, 제 규정을 준수하고

효율적인 관리를 통하여 수명을 연장하고 정비소요를 최소화해야 한다.

나. 탄약 저장의 목적

탄약 저장상의 제규정을 준수함으로써 안전을 도모하고 효율적인 관리를 통한 최대한의 수명 연장과 정비소요를 최소화하는 것이 궁극적인 목적이다. 이를 위해 탄약을 저장 관리하는 동안 눈 · 비 · 이슬 · 직사광선 · 기온 등 탄약의 기능보존에 악영향을 미치는 자연요소로부터 탄약을 보호하기 위해서는 다음 3가지 기본원칙을 준수하여야 한다.

(1) 적절한 덮개 : 야적 및 수송간 탄약보호덮개 설치
(2) 적절한 깔판 : 침목 및 팔레트 사용
(3) 양호한 통풍 : 통풍시설 및 통로설치

위의 자연적인 요소로부터 탄약을 보호하는 것 외에 탄약을 운반 및 취급하는 차량도 자연요소로부터 적절한 보호를 받아야 하며, 차량으로 운반하지 않는 경우에도 탄약의 위험한 성질 때문에 탄약은 적절한 보호를 해야 한다. 특히 탄약 부대에서는 많은 탄약이 장기간 저장되어 있는 관계로 위의 자연적인 요소는 저장과 불출 작업을 계획하는데 매우 중요한 요소로 작용할 수 있으며, 적절한 저장은 탄약을 최적의 상태로 보존하고 수명도 최대한 연장할 수 있으며 정비소요도 최소한으로 줄일 수 있다.

다. 저장계획 수립시 고려사항

확보된 탄약을 저장할 수 있도록 탄약창 및 보급소별로 탄약고 저장능력을 고려하여 저장수준(S/L)을 설정하고 운용한다.
탄약저장에 있어서의 세부적인 계획은 가능한 사전에 수립되어야 하며 이 계획을 수립하는 데는 다음과 같은 사항들을 고려해야 한다.

(1) 저장되는 탄약 종류별 폭약량 판단
(2) 저장시설의 계획된 운영시설 판단
(3) 탄약보급소 또는 창 등의 시설 종류
(4) 노변 또는 지역저장 등 채택되는 저장방법
(5) 저장지역 설치 및 준비에 소요되는 시간
(6) 선택한 지역의 특징(도로망, 지형, 교량, 주요애로지역)
(7) 적 공격이나 탈취로부터 방호하기 위한 경계요소

라. 탄약 저장

(1) 모든 탄약은 탄종별, 로트(Lot)별, 상태별로 구분 저장한다. 단, 소로트가 동일 탄종으로서 1팔레트 미만일 경우에는 통합저장이 가능하다.

※ 로트(Lot)번호를 부여하는 이유는 탄약식별이 용이하고, 저장관리의 편리성 및 불량탄약 색출용이, 그리고 생산공장에서 탄약의 질적저하를 방지함과 동시에 품질을 향상시키기 위해서 부여한다.

(2) 소로트 탄약은 동일 탄종에 대하여 로트크기가 1팔레트 미만일 경우 1개 퇴적으로 통합 저장하되 퇴적내에서 로트별, 상태별로 구분하여 저장한다.
(3) 탄약은 퇴적의 안전성을 유지하도록 저장 높이를 제한하고, 재물조사 및 탄약 검사시 통합 저장된 소로트 탄약을 동시에 실시하도록 계획을 수립한다.
(4) 탄약고내 퇴적의 높이는 지상형 탄약고는 탄약의 퇴적을 처마보다 낮게 쌓아야 하고 지붕으로부터 45cm 이상 이격되어야 하며, 이글루형 탄약고는 천정이나 벽체에 닿지(45cm 이상) 않도록 퇴적을 쌓되 출입문과 연하는 중앙 통로 유지 및 탄약고 뒤 벽면 통풍구와 연하는 면은 일정 간격을 유지시켜 통풍 여건을 조성한다.
(5) 난방된 탄약고내에 저장된 탄약퇴적은 방열기로부터 45cm 이상 이격되어야 하고 바닥으로부터 위로 8cm 이상 이격되어야 한다.
(6) 퇴적의 침목은 옥외 저장시 8cm, 옥내 저장시 5cm 이상 높이를 유지해

야 한다.

(7) 경포장 탄약은 안전하게 포장하고 규정된 표시를 하여 퇴적의 상단에 위치시킨다. 기본 휴대량을 제외하고는 퇴적당 단 하나의 경포장 탄약만 허용한다.

(8) 탄약고내에 기름걸레, 페인트, 기타 가연성 물질을 보관해서는 안 된다.

(9) 탄약퇴적 주위에는 검사·재물조사 및 작업을 위한 통로가 유지되어야 하며 퇴적 작업시 저장공간 활용 및 작업편의를 위해 벽쪽에서 시작하여 중앙 통로쪽으로 쌓는다.

(10) 개량된 재래식 탄약(ICM)[17]은 재래식 탄약과 분리 저장하고 사고시 신속한 처리를 위해 저장지역 외곽에 저장해야 한다.

(11) 액체추진약, 가연성 액체와 탄약을 함께 저장해서는 안된다. 탄약저장지역과 가연성 액체 저장지역 간에는 화재확산의 예방을 위하여 600m 이상 또는 주택거리 이상의 안전거리가 유지되어야 한다.

(12) 탄약상자 또는 다른 용기는 저장되기 전에 손질되고 건조되어야 한다. 또한 저장탄약은 그 용기가 불안전하거나 개봉상태에서 저장되어서는 안된다. 그러나 정비작업 중에 있는 파손된 용기내의 탄약이나 폭발물은 탄약고 내에서 하루를 저장할 수 있으나 분리하여 저장 한다.

(13) 탄약용기의 정비나 교환작업은 탄약고로부터 30m 이내의 장소에서 실시할 수 없고 탄약고로부터 30m 이상의 선내거리가 이격된 장소에서 실시하여야 하며 작업중 탄약고문은 닫혀 있어야 한다.

마. 저장 시설

탄약지원부대는 피지원부대를 지원하기 위해 많은 량의 탄약을 확보하면서, 소요발생 즉시 사용가능한 상태로 지원해 줄 수 있어야 한다.
그러기 위해서는 평소부터 탄약이 저장되어 있는 탄약고 내·외부 관리를 철저히 함은 물론 관리과정에서 나타나는 문제점을 적극적으로 조치해야 한

(17) ICM : Improved Conventional Munition

다. 이러한 활동은 탄약의 성능보존 뿐만 아니라 저장 및 취급간 탄약/폭발물의 잠재적 위험으로부터 인명과 재산을 보호한다는 것을 의미한다.
따라서 저장간에 발생할 수 있는 각종 안전대책, 즉 저장 탄약의 폭발 또는 화재사고 발생시 인명 및 재산피해를 최소화 할 수 있도록 안전기준에 따라 분류 저장하고 저장 시설간에 규정된 양거리(Quantity Distance)(18)를 유지해야 한다.
또한 탄약의 신뢰성 보장을 위해 성능보존활동 및 대책을 강구하고, 저장간 결함이 발생된 탄약은 정비를 실시한다.
보유한 탄약/폭발물에 대한 저장 및 취급작업의 안전성과 효율성 보장을 위해 작업인원 · 시설 · 탄약/폭발물 취급량은 최소 필요량(인원)으로 제한토록 하며, 탄약/폭발물 저장시설 및 지역에 대한 주기적 점검을 통해 제기된 문제는 신속히 시정 · 보완 및 개선시켜 나가야 한다.

6. 검사(Surveillance)

가. 개요

전투부대의 작전수행 중 탄약의 기능발휘는 작전수행간 목표물을 정확히 타격할 수 있는 탄약의 신뢰성(Reliability)에 있어서 특히 중요하다. 탄약검사의 주된 목적은 탄약의 변질 및 악화원인을 조기에 발견하고, 탄약의 상태가 사용가능한가, 저장에 안전한가를 판단한다.
탄약검사 분야는 탄약이나 폭발물이 저장되는 지역 및 구조물 검사와 탄약고 내에 저장된 탄약 검사, 적송 및 처리작업을 위한 검사, 탄약 또는 폭발물 수송에 이용되는 장비 및 차량과 탄약취급장비에 대한 검사를 포함한다.
또한 사용 가능 정도와 악작용 탄약 및 저장되어 있는 건물의 검사, 시설 및 탄약취급에 사용되는 각종 장비와 탄약수송시, 개수, 폐품 활용, 탄약처

(18) 양거리 : 탄약의 저장된 폭약량에 따라 시설, 인원을 보호하기 위해 일정한 거리를 이격하도록 설정한 거리

리 등을 확인하고, 이에 대한 모든 기술적인 제원자료를 확인하고 보고서를 작성하는 제반 활동을 말한다.

탄약검사는 탄약의 변질상태를 조기에 발견하여 정비후 사용 가능성 여부를 판단함으로써 조기에 정비하여 탄약의 질적 저하를 미연에 방지하는데 있다.

즉, 변질상태를 조기에 발견하고 사용가능정도를 분류하여, 정비필요성 판단과 탄약보존 및 안전대책을 사전강구하기 위하여 검사활동을 수행한다.

나. 탄약 검사 활동 및 범위

(1) 탄약의 사용 가능성을 결정하기 위한 검사

(2) 검사의 결과에 의하여 발견된 소결함의 시정

(3) 장차 유사한 환경에서 탄약상태의 변질 및 악화탄약이 발견되었을 때 기능상 탄약성능에 영향을 주는 결과를 초래 할 수 있는 원인에 대해서 대책을 수립하고 필요한 조치를 연구하기 위한 검사결과 자료 유지

(4) 탄약 운용에 악영향을 줄 수 있는 저장 시설에 대한 미비한 점을 발견하기 위해 수시, 또는 주기적으로 탄약고 지역에 대한 검사 및 안전활동

(5) 탄약의 기능 및 안전유지에 필요한 기술연구와 상급부대로부터 기술자료 획득 전파

다. 검사의 종류

생산공장에서 생산된 탄약이 야전부대에 불출되어 사용되기까지 아래와 같은 각종 검사절차에 의거 수행한다.

(1) 최초 수령 검사(IRI, Initial Receipt Inspection)

(가) 국내 조달 탄약은 국방품질기술원에서 검사 및 수락한 탄약을 제조업

자, 계약자 또는 정부기관으로부터 소요시설부대에서 직접 수입 후 5근무일이내 수행하는 검사이며 탄약의 전체 결함을 확인하는데 있으며, 검사 후 결함 발생시 선수입 보고 (납품조서 조치)후 5근무일 이내 결함 보고해야 한다.

(나) 해외 구매탄약에 대한 최초도입부대는 해외에서 구매한 탄약의 계약서와 선적서를 탄약지원사령부로부터 접수 즉시 해외 구매탄약의 계약요구 조건과 일치 여부를 확인해야 하며 검사후 하자 발생시 수령확인서의 완결을 보류하고 하자를 보고해야 한다.

(2) 수령 검사(RI, Receipt Inspection)

(가) 창간 이관 및 적송

수령 검사는 탄약을 다른 탄약창 또는 탄약보급소에서 수령하였거나 검사기록카드상에 그 품목에 대해 30일 이내에 탄약 수송시에 파손여부를 확인하기 위해 로트 또는 일련번호, 그룹별로 표본을 선택하여 실시하는 검사를 말한다.

만일 추가적인 검사가 필요한 경우에는 수송중 파손, 결함의 악화, 비표준 상태별로 표본을 선택하여 검사해야 한다.

(나) 사용중 반납

사용부대 또는 탄약보급소 등에서 반납 및 후송되는 탄약의 포장이 봉인되어 있지 않을 때는 100%의 검사를 실시해야 한다. 포장상태가 양호해도 수송 중에 발생되는 각종 결함을 찾아내기 위하여 표본을 선택하여 검사한다. 최초 표본검사에서 불합격되어도 사용 가능성여부를 결정하기 위하여 추가적인 검사를 해야 한다.

(3) 수락 검사(AI, Acceptance Inspection)

(가) 수락검사는 국내 계약자 및 국내 업체에서 생산하였거나 또는 생산중인 탄약의 합격여부를 판정하기 위하여 정부기관(국방품질기술원)에서 실시한다.

(나) 시설부대는 국품원에서 수락검사를 필한 탄약에 한해 최초수령검사를 실시한다.

(다) 정부기관(국방품질기술원)의 수락검사 미실시 탄약은 시설부대에서 수령할 수 없다.

(4) 정기(주기)검사(PI, Periodic Inspection)

(가) 사용가능 상태로 저장중이거나 경제적으로 수리 가능한 상태의 탄약 및 긴급 전투시를 제외한 불출중지 탄약은 상태의 악화 및 비정상 상태에 대비하여 정기적으로 검사를 실시하여야 한다.

(나) 무게 측정 등 제조상의 결함에 대한 검사 또는 분해는 규격측정 저장실험을 위해 필요한 경우가 아니면 실시하지 않는다. 외관상 결함의 실질적인 등급분류를 위해 필요한 경우 게이지를 사용한다. 표본선택 도표는 정기검사를 하는데 주로 사용한다.

(다) 제조년도가 30년이 경과된 탄약은 로트나 그룹별로 연 1회 검사를 실시한다. 해당 탄약품질검사관이 필요하다고 인정하는 경우 검사빈도를(반기검사 등) 증가할 수 있다.

(라) 경제적으로 수리가 불가한 사용불가 탄약은 계속적으로 안전저장 및 취급에 적합성 여부를 확인하기 위하여 주기적으로 검사를 해야 하나 비군사화 처리대상 탄약은 제외한다.

(5) 저장중 검사(SMI, Storage Monitoring Inspection)

(가) 저장 중 검사는 해당탄약의 기술지침서 결정에 의해 실시한다. 이것은 저장지역에 있는 품목에 대하여 실시하며, 다음 사항을 포함한다.

1) 백린연막탄약, 소이탄약 등의 누출확인 검사
2) 압축 건조용기로 포장된 품목의 압력 및 상태, 습도판독 및 기록
3) 검사의 빈도는 특수 품목에 대한 기술지침서나 담당 탄약품질 검사관이 필요하다고 결정하는데 따라 정해진다.
4) 가능한 탄약고 검사와 병행하여 실시한다.

(6) 특별검사(SI, Special Inspection)

(가) 특별검사는 상급부대 지시 또는 특별한 안전관계나 지역적인 여건에 따라 실시한다.

(나) 정기검사에 100% 분류검사가 필요한 경우에도 실시한다.

(7) 불출전 검사(PII, Pre-Issue Inspection)

(가) 시설부대에서 시설부대로

(나) 시설부대에서 사용부대로 불출하기 전에 수행하는 검사

(다) 불출전 검사는 정기검사 기간이 지난 로트에 대해서는 정기검사와 동일하게 실시한다.

(라) 상급부대지시 또는 검사관이 필요성을 결정한 로트는 특별검사를 실시한다.

(마) 불출전 검사를 실시하고 검사 기록카드에 기록 유지한다.

(바) 차량검사, 혼합적재 여부를 확인하는 안전검사가 추가적으로 이루어진다.

(8) 기능시험(SFT, Stockpile Function Test)

기능시험은 기술검사를 겸하여 어떤 종류의 탄약에 대한 상태 및 작용등 성능을 감정하여 그 품목에 대한 사용 가능 정도를 판정하는 것으로 이와 같은 기능시험은 정기적으로 상급통제기관의 지시 또는 승인을 받아 특별히 훈련된 요원과 장비에 의하여 실시한다.

(9) 확인검사(VI, Verification Inspection)

확인검사는 정비작업중인 탄약에 대하여 품질을 보증하기 위하여 각 공정마다 실시하는 검사를 말한다.

(10) 기본휴대량 검사(BLI, Basic Load Inspection)

(가) 기본휴대량 검사는 항상 모든 부대 내에서 확보하도록 인가된 탄약

에 대해서 기술지도방문과 병행하여 실시하는 검사이다.

(나) 이 검사는 기본 휴대량의 교환 또는 정비의 필요성을 결정하기 위해 기술지도 방문 시설부대 검사관에 의해 12~15개월 간격으로 실시하며 검사기록카드는 기록 / 유지하지 않는다.

(다) 개봉된(봉인하지 않은) 용기에 대해 기본 휴대량 검사를 실시한다.

(라) 양호한 포장은 저장 상태, 외관상태, 로트의 크기 등을 참고하여 필요한 범위 내에서 개봉 검사한다.

(11) 실험실 시험(SLT, Stockpile Laboratory Test)

(가) 실험실 시험은 저장품목의 품질이 변화하는 과정 및 추세를 찾아내고 사용 가능성 여부를 결정하기 위하여 실시한다.

(나) 시험방법은 파괴 또는 비파괴를 통한 실험실 시험을 수행한다.

7. 정비(Maintenance)

가. 개요

기능이 저하되어 사용이 불가능한 탄약을 사용이 가능한 상태로 원상·복구시키기 위한 제반 활동과 수단을 말한다. 탄약 정비는 재래식 탄약의 경우 개수정비, 정상정비, 수정작업, 예방정비로 구분하여 실시하고, 유도 및 중로켓 탄약은 군직정비, 외주정비, 해외정비로 구분하여 실시한다.

나. 탄약 정비의 중요성

탄약 정비는 질병에 감염된 환자가 종합병원에서 적절한 치료를 받게 되면 건강을 회복하듯이 기능에 이상이 발생한 탄약이라도 적절한 정비작업을 거치게 되면 상실된 기능을 회복 할 수 있는 것이다. 탄약을 정비한다는 것은 적은 비용을 투자하여 사용이 불가능한 탄약을 사용이 가능한 탄약으로 전환하고, 고가의 탄약을 재보급하는 경제적 효과를 증대시킨다.

탄약이 변질되어 기능이 저하되면 이를 안전하게 처리하는 데에도 많은 인력과 비용이 소요되므로 적절한 정비작업으로 기능을 되찾을 수 있게 된다면 이는 탄약구매 비용과 처리비용을 동시에 절약할 수 있는 이중의 경제적 효과를 가져올 수 있다.

보유탄약을 사용 가능한 상태로 유지하는 것은 탄약정비에 관계된 조직과 개인의 책임이다.

따라서 탄약은 필요시 사용이 가능한 상태로 지원되어야 하며 사용이 불가능한 탄약은 조기에 발견하여 정비함으로써 항상 사용 가능한 상태로 유지시키는 것은 전투준비태세 면에서도 가장 중요한 분야라고 할 수 있다.

다. 탄약 정비의 원칙

- ◦ 결함의 조기발견과 정비
- ◦ 발견된 요정비 탄약은 신속하게 정비
- ◦ 정비작업은 가능한 하급제대에서 실시
- ◦ 정비작업은 전술적 상황과 일치되게 계획 및 실시
- ◦ 수리불가 탄약은 후송 및 처리
- ◦ 정비목표 달성이 용이한 시간과 장소에서 실시

(1) 결함의 조기발견과 정비

탄약은 물리적 화학적 변화를 쉽게 일으키는 물질이므로 부단한 검사활동을 통하여 결함을 초기단계에 발견하게 되면 적은 비용과 인력으로 정비를 할 수 있지만 그 시기를 놓치게 되면 정비가 불가능하거나 경우에 따라서는 비군사화를 해야 하는 예산낭비를 초래할 수 있다.

(2) 발견된 요정비 탄약은 신속하게 정비

요정비 탄약으로 판정된 탄약은 가능한 가장 신속하게 정비 작업을 수행하는 것이 바람직하다. 이것은 탄약이 일단 변질징후가 나타나게 되면 급속도로 상태가 악화되기 때문이다.
그러므로 탄약정비를 책임지고 있는 부서와 병력은 언제라도 대상탄약이 발견되면 신속히 정비작업을 수행할 수 있도록 인력, 장비, 공구, 자재 등을 확보하고 사전준비를 해야 한다.

(3) 정비작업은 가능한 하급제대에서 실시

탄약은 유사시 전투부대가 소모하게 되고 이러한 전투부대에 탄약을 직접 지원하는 부대는 보급소가 된다.
따라서 탄약보급소 단위에서 수행 가능한 정비를 후방 탄약창까지 후송하여 정비를 한다는 것은 시간적 경제적 낭비요소가 있으므로 가급적 수행 가능한 하급제대에서 정비를 수행함으로써 사용부대의 전투준비태세를 단축시킬 수 있기 때문이다.

(4) 정비작업은 전술적 상황과 일치되게 실시

탄약 정비작업 그 자체도 전투행동의 일환이므로 전술적 상황과 일치되어야 한다. 그러므로 탄약정비 계획을 수립할 때, 또는 정비 작업시에도 적 상황을 파악하여, 경계, 전시수송수단, 정비작업 지역의 방호 대책 등을 전술적 측면에서 충분히 고려하고 대비해야 한다.

(5) 정비 불가 탄약은 후송 및 처리

요정비 탄약의 정비작업 실시 여부는 구입단가와 정비비용을 고려하여 수리비용이 구입단가의 40%를 초과하지 않는 범위에서 통상 실시하므로 정비가 불가능하다고 판단되거나 해당부대에서 수리가 불가능하다고 판단된 탄약은 신속하게 정비가 가능한 제대로 후송하거나, 정비할 가치가 없는 탄약은 비군사화 조치를 해야 한다.

(6) 정비목표 성취가 용이한 시간과 장소에서 실시

탄약 정비작업은 안전하게 수행되어야 하고 또 정비된 탄약의 품질을 보장할 수 있어야 하며 동시에 작업능률의 제고와 경제적 효과를 거둘 수 있는 가장 좋은 조건하에서 수행되어야 할 것이다.

라. 정비와 검사의 관계

탄약정비는 탄약검사와 밀접한 관계를 가진다. 탄약 검사를 통하여 요정비탄이 색출되고, 탄약정비 과정에서는 탄약 검사관의 감독하에 있는 공정검사 요원에 의하여 모든 정비품목이 점검되고, 정비가 완료된 탄약은 최종검사와 기능시험을 거쳐서 양탄(良彈)으로 환원된다.

마. 품질 관리

품질관리는 조달, 수집, 정비 및 불출과정에서 사용자에게 양질의 탄약을 제공하기 위한 시험관리 기능이다. 탄약 부대에서의 품질관리는 현행 규정과 기술적 절차를 정확하게 준수하기 위해 위에 열거된 각개활동이 이행되어야 하고, 탄약의 본래 성능을 발휘할 수 있도록 보장해야 한다. 지휘관은 품질관리 활동의 최대효과를 달성하기 위하여 품질관리 부서와 인원의 편성 책임이 있다.

8. 비군사화(Disposal/Demilitarization)

가. 개요

탄약 비군사화는 불발된 폭발물을 탐지, 식별, 안전조치, 평가, 원상복구 및 최종처리 작업을 수행하는 폭발물처리(Ex-plosives Ordnance Disposal)와 기능결함 및 무기도태로 인하여 사용이 불가능한 탄약을 폐기시키는 비군사화(Demilitari-zation)로 구분된다.

나. 폭발물 처리 목적

위험성을 내포하고 있는 각종 폭발물을 사전에 폭발위험성을 제거하거나 파괴시킴으로써 폭발을 미연에 방지함과 동시에 인명과 재산의 손실을 방지하는데 있다.

다. 처리대상 탄약

처리 대상탄약은 탄약 생산공장에서 설계상의 결함이나 재질 또는 내부 충전물의 결함으로 제 기능을 발휘하지 못하는 탄약으로 상급부대로부터 처리지시가 하달된 탄약 또는 생산된 탄약을 저장 관리하는 과정에서 여러 가지 요인에 의거 발생되는 불량 탄약, 신형무기의 개발로 인하여 도태되는 무기에 사용되는 폐기대상 탄약 그리고 화기로부터 발사되었으나 기능을 발휘하지 못한 탄약으로 사격한 부대에서 조치하는 불발탄 등이 있다.

(1) 불발탄약 처리

(가) 포구내 불발은 추진약 계열의 불발로서 사수의 응급조치에 의거 조치한다.

(나) 탄착점 불발은 신관의 불발로서 상태가 가장 위험하기 때문에 처리요원에 의거 제거되어야 하며, 사용부대에서는 인원의 접근금지를 위한 안전조치를 취한 후 지원처리반에 처리의뢰를 하고 사격장에서 발생시는 주기적으로 사격장 정화작업에 의거 제거되어야 한다.

(2) 대민 · 관 폭발물 처리 지원에 관한 합의서

유기 탄약은 작전 및 후방지역에서 산재된 폭발물로 장기간 매장 및 노출되어 안정성이 희박한 상태로 발견된다.

이러한 폭발물은 민·관·군의 유기적인 협조체제하에 발견즉시 회수함으로써 국민의 생명과 재산을 보호할 수 있는데, 이를 뒷받침하기 위해'80년 8월 1일 당시 내무부(현 행정자치부, 이하 행자부)와 국방부가 폭발물 처리지원에 관한 합의서를 체결하였으며, 그 주요 내용은 다음과 같다.

(가) 책임 분담

1) 국방부는 행자부에서 처리 요청된 다음과 같은 군용 폭발물을 회수, 처리하는 임무를 수행한다.
   가) 유기 매몰된 각종 포탄, 지뢰 등 폭발성 탄약
   나) 군 작전 훈련시 유실된 불발탄
   다) 기타 군 관련 위험 폭발물 및 경찰요청 사항에 대한 지원
2) 행자부는 민간인으로부터 신고된 민수용 폭약, 뇌관 등을 회수 처리하고, 사제폭발물사고 처리업무를 수행한다.
   가) 폭발물에 대한 대국민 계몽활동을 실시한다.
   나) 군용 폭발물 처리시 군 지원요청 사항에 대한 지원

(나) 대민 신고가 접수된 폭발물 처리

1) 행자부(경찰청)는 대민신고가 접수된 폭발물에 대해 1차 식별/확인을 하고, 군용폭발물로 판단시 국방부(각군)로 지원을 요청한다. 또한 민수용 폭약 및 사제폭발물의 자체 처리가 어려울 경우에는 군에 지원을 요청할 수 있다.
2) 행자부(경찰청)에서 처리 의뢰된 군용폭발물은 처리우선순위(신고/위험급수)에 의거 국방부(각군)가 최단 시간내 처리 지원함을 원칙으로 한다.
3) 국방부(각군)는 군용폭발물 처리시 대민안전을 위해 요구되는 주민 및 교통통제, 관련시설물에 대해 보호조치 등을 경찰청에, 토목 작업은 관련 행정기관에 협조 처리한다.
4) 군용 폭발물 처리시 투입되는 군 병력, 장비, 자재 등은 군 자산으로 지원한다.

(다) 폭발물 처리 작업상 발생되는 각종 피해/민원처리

1) 군 인원, 장비, 자재에 대한 손실 보상 책임은 각 군에 있다.

2) 민간지역에서 발생되는 인명 및 재산상의 피해조치는 "(나)-3)항"의 조치/이행여부와 현지 상황을 고려하여 군경 합동조사 실시 후 그 결과에 따라 합의, 또는 법률에 의한 조치를 한다.

(라) 권한 위임

1) 행자부 : 소관임무는 경찰청이 부책 수행한다.

2) 국방부 : 소관임무는 지역별 처리책임 구역에 따라 육 · 해 · 공군(각지구 폭발물 처리반)이 부책 수행한다.

(마) 대민 폭발물 신고/처리 지원

신고 체계도	조치 내용	비고
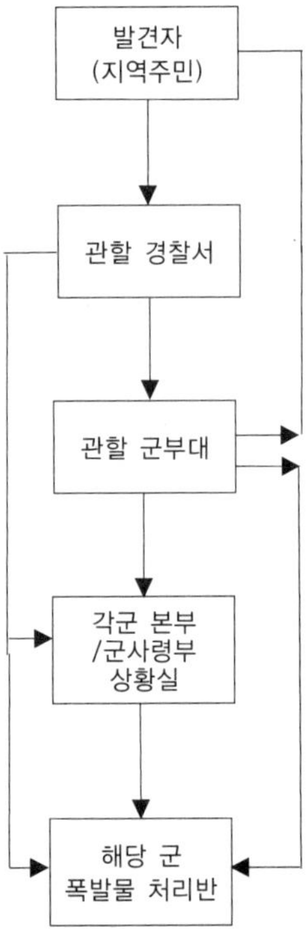 발견자 (지역주민)	• 발견물질에 촉수 엄금 • 가까운 경찰관서/군부대 신고	• 가까운 위치 명시
관할 경찰서	• 현지출동 확인 후 초동조치 • 위험 표식/주민 통제 • 가능한 탄종 및 수량확인 • 관할 군부대 폭발물 처리반에 통보	• 현지위험 수위에 따라 적절한 안전조치(공사중지, 인원대피, 안전벽 설치 등)
관할 군부대	• 정확한 위치와 탄종/수량이 확인되면 해당 군 지휘 계통으로 신속히 보고	• 긴급을 요할시 지역 주둔 처리반에 직접 통보
	• 미확인 장소/탄종은 최기 처리반에 정찰실시 지시/보고 • 확인 탄종은 해당 군부대 처리지시 및 통제	
각군 본부 /군사령부 상황실 ↓ 해당 군 폭발물 처리반	• 우선순위에 의거 출동 • 관할 경찰서에 협조작업간 제반 안전조치 강구 • 현지 폭파 작업시 작업 계획 보고/승인후 작업(도심지, 공장지대, 공사현장 등) • 폭발물 수거 이동시 적재차량 별도 운영	• 능력 초과시 타군 처리반 지원요청(군사보고)

(3) 노획탄

작전에 의거 적으로부터 노획된 노획물 중 폭발성이 있는 물질은 정보/작전계통에서 운용되는 정보분석조와 협조하여 상급부대 지시에 의거 처리 지원한다.

라. 작전상황하에서 처리

(1) 불발 폭발물의 발생 예측

과거 전쟁경험에 의하면 작전에 사용된 폭발물의 5~10%가 불발 폭발물로 발생이 된다. 이런 상태의 폭발물은 전투부대의 기동을 제한하고 작전에 영향을 미치며, 장병의 사기에도 영향을 줄 수 있다.

(가) 고의적인 설치

주민의 사기를 저하시키고 지휘체계를 분열시키며 인명피해를 줄 수 있는 시한장치나 지연장치로 구성된 폭발물이 있으며, 폭발물의 신관을 제거할 때 폭발할 수 있도록 설계된 폭발물도 있다.

(나) 기능상 미작동(불발탄)

(다) 저장관리상의 결함

(2) 폭발물 처리근무의 필요성은 전장에서 발생되는 불발폭발물이나 부비트랩을 제거하기 위해서는 유능한 처리요원을 확보해야 한다.

(3) 대량 파괴의 잠재력을 가진 핵무기나 화학 및 생물학제의 출현은 폭발물 처리 업무의 범위를 증가시킨다.

마. 폭발물 처리임무 수행절차

(1) 현지에서 폭발물의 탐지사건 및 사고지점에서 처리요원이나 정찰요원은 폭발물의 위치를 찾아야 한다. 우선 육안에 의한 탐지에 의존을 하며 부가적인 장비나 공구를 최대한 활용해야 한다.

(2) 발견된 폭발물의 위험범위 판단 및 탐지된 폭발물의 위치와 크기 등에 의거 피해 범위를 판단하여 방호 수단을 강구해야 한다.

(3) 위험을 제거할 수 있는 방법을 판단하여 폭발을 방지할 수 있는 적절한 방법을 적용시켜야 한다.

(4) 처리요원의 폭발에 대한 기본 인식

(가) 어떻게 하면 폭발물의 폭발을 방지할 것인가를 생각해야만 한다. 또한 사용된 폭발물은 기계적·물리적·화학적인 원인에 의거 불발이 될 수가 있다.

(나) 모든 폭발물은 위험하다. 적은 형태의 폭발물도 가공할 위력을 갖고 있으며, 화학물질 및 폭발의 위험이 있음을 명심해야만 한다.

바. 식별된 폭발물 처리 작업 절차

(1) 탐지된 폭발물의 현장상태 분석

폭발물 주위의 물리적, 지형적인 특징을 분석한다. 건물의 붕괴여부나 접근의 용이성 등을 판단한다.

(2) 폭발물에 접근

발견된 폭발물에 접근시는 세심한 주의를 하여 접근해야 하고 절대로 환경변화를 주지 말아야 한다.

(3) 위험판단

폭발물의 상태를 판단하여 장전여부와 폭발의 위험, 폭발시기, 폭발시 위험범위 등을 판단하며 탄종을 식별해야만 한다.

(4) 안전보호절차 결정

각종 기술서적이나 경험에 의거 가장 안전한 절차를 결정하여 수행하며 폭발시 피해를 감소시킬 수 있는 방호 대책도 병행해서 실시한다.

(5) 안전절차 수행

사용 가능한 장비와 공구를 최대한 활용하며 폭발에 대한 안전대책도 강구되어야 한다.

(6) 야전평가(정보분석)

안전절차가 수행된 후에 폭발물에 대한 기술적인 정보를 분석한다. 재질, 폭약의 종류와 양, 예상 피해 범위 등의 기술 사항이 포함된다.

사. 폭발물 정찰

폭발물 정찰은 작전대상지역의 상태를 검사하여 정상적인 작전 가능지역으로 복귀시키는 작업을 말하며 주로 적의 공중폭격이나 포병공격을 받은 지역에서 수행되며 임무를 수행하는 정찰요원은 군인이나 경찰, 소방요원에 의거 수행된다.

(1) 정찰보고

불발 폭발물이 발생되면 정찰요원은 폭발물의 위치와 상태를 판단하여 적절한 보호조치(위험표식, 경고, 방호수단)를 한 후 불발 폭발물 정찰 보고서를 작성 제출하며 상태를 판단하여 폭발물에 대한 적절한 위험급수를 분류한다.

(2) 위험급수 분류

(가) A급 분류

군 또는 민간 지역 내에서 작전에 직접 영향을 미치는 사고일 때 부여한다.

(나) B급 분류

군 또는 민간 지역 내에서 작전에 간접 영향을 미치는 사고일 때 부여한다.

(다) C급 분류

군 또는 민간 지역 내에서 작전에는 영향이 없으나 위험성이 있는 상태의 사고일 때 부여한다.

(라) D급 분류

폭발물 사고의 위치가 군 또는 주민에게 전혀 영향이 없고 폭발 위험성이 없을 때 부여한다. 이렇게 부여된 급수는 폭발물 처리통제 요원이나 처리 요원에 의거 최종부여가 되며 작업우선순위를 결정하는 기본요소가 된다.

전시 폭발물은 작전지역 및 전장에서의 불발탄약은 전투부대의 작전과 기동성에도 큰 영향을 미치므로, 작전계통과 긴밀한 협조와 METT-TC 요소를 고려하여 폭발물처리반(EOD)[19]의 투입을 결정해야 한다.

(19) **EOD** : Explosives Ordnance Disposal

Section 03 종합군수지원

1. 개요

종합군수지원(ILS : Integrated Logistics Support)은 무기체계의 성능을 유지하고 경제적인 군수지원을 보장할 수 있도록 소요제기시부터 폐기시까지 제반 군수지원사항을 종합관리하는 활동이다.

가. 성능 유지(군수지원의 효과성 보장)

무기체계에 부여된 성능을 지속적으로 실현할 수 있도록 보장하는 것으로, 이를 위해서는 장비의 불가동 시간을 최소화하여 가동시간을 증가(가동률 향상)시켜야 한다.

(1) 탄약 획득(개발)시에 고장빈도, 정비시간 최소화 반영

(2) 탄약 유지에 필요한 군수지원 소요의 확충

나. 경제적 군수지원(군수지원의 경제성 보장)

수명주기 비용 특히, 경상운영비를 최소화하는 것으로 주무기 획득(설계)시 군수지원 소요를 최소화하여 반영하고, 운용시 군수지원요소를 최소로 유지한다.

다. 종합군수지원 원칙

무기체계 획득시 경제적이고 효과적으로 획득하기 위하여 다음과 같은 종합군수지원 원칙을 적용하여야 한다.

(1) 주무기체계 성능과 군수지원성의 보완적 발전

무기체계 획득(설계)시 주무기체계 성능과 군수지원성[20]을 상호 보완적 입장에서 발전시켜야 한다. 주무기체계 제작시 결정된 모든 설계사항은 군수지원은 물론, 성능실현에까지 중대한 영향을 미친다. 예를 들면, 특수하고 복잡한 설계는 성능을 향상시킬 수는 있으나, 고장빈도가 높고 수리에 많은 시간과 비용이 소요되어 결과적으로 전체적인 사용효과는 낮아지고 경상운영비가 증가된다.
따라서 주무기체계 설계 및 제작시에 군은 군수지원이 용이하도록, 경상운영비가 최소화되도록 요구해야 하며, 설계자들은 그들의 설계 결정이 군수지원에 중대한 영향을 미친다는 사실을 명심해야 한다. 이러한 주무기체계 성능과 군수지원성의 보완적 발전을 실현하기 위해서는 개발자의 군수지원에 관한 인식이 제고되어야 하고, 주무기체계 설계영향에 관한 교리가 개발되어야 하며, 개발자와 종합군수지원 요원간의 업무협조체제가 확립되어야 한다.

(2) 군수지원요소 상호간의 유기적 통합

군수지원요소는 그 대상이 광범위할 뿐만 아니라 상호 연관성을 지니고 있다. 그러므로 군수지원 요소의 획득(개발)시에는 이들 상호간의 연관성을 고려하여 균형과 조화를 이룰 수 있는 최선의 대안을 선정하여야 한다.
예를 들면, 고도로 숙달된 정비요원 육성이 곤란할 경우에는 미숙한 정비요원이 다루기 쉬운 지원 장비를 요구하거나, 수리대신 비수리체계를

(20) Logistic Supportability : 군수지원의 경제성, 지속성, 편리성을 보장하는 특성

확대하여 고장을 배제하게 된다.
이와 같이 인원 및 훈련, 지원 및 시험장비, 정비지원, 기술제원, 보급지원 등의 군수지원 요소들이 상호 균형과 조화를 이룰 수 있도록 관리하여야 한다.
이를 실현하기 위해서는 군수지원요소 획득(개발)요원들의 전문인력이 확충되어야 하고, 군수지원 요소 개발기법이 실용화되어야 하며, 특히 군수기능 부서간의 업무 협조체계가 확립되어야 한다.

(3) 군수지원요소 획득, 배치업무의 동시 수행

군수지원 요소의 개발, 생산, 배치 등 일련의 업무를 주무기체계 획득업무와 동시적으로 수행하여야 한다.
무기체계 획득과정 중의 주요 의사결정시에 군수지원성을 반영하고 전력화 일정계획을 준수하며, 적기에 소요예산을 판단하여 중·장기계획에 반영하기 위해 종합군수지원 업무는 반드시 주무기체계 획득업무와 병행하여 수행하여야 한다.
이를 실현하기 위해서는 종합군수지원 업무의 진도 관리체계가 개발되어야 하고, 관리기관 특히, 조정 및 통제기관의 능력이 확충되어야 하며, 종합군수지원 요소 개발능력이 확보되어야 한다.

(4) 군수지원요소 획득과 운용의 순환체계 유지

군수지원요소를 획득하여 배치한 후에 운용과정에서 경험제원을 수집, 분석 및 평가하며, 분석평가 결과에 따라 부적합한 군수지원 요소에 대한 수정제기는 물론, 이들 경험제원을 축적하여 차후 유사무기체계 획득(개발)시에 한국적 군수지원 기준으로 활용할 수 있도록 관리하여야 한다.
이를 실현하기 위해서는 군수지원 요소 획득과 운용의 연결고리 역할을 할 수 있는 종합군수지원 조직이 있어야 하고, 운용단계의 종합군수지원 관련교리가 보완되어야 하며, 특히 야전운용 경험자료 축적 및 수집체계가 확립되어야 한다.

2. 종합군수지원의 목표

가. 목적

종합군수지원의 적용목적은 무기체계의 수명주기간에 필요로 하는 제반 군수지원요소를 적시 적절하게 획득하고 유지하여 탄약의 전투준비태세를 극대화하고, 수명주기비용을 최소화하는데 있다.
전투준비태세를 최대화하기 위해서는 비용 구성항목인 획득비(연구개발비+투자비)와 경상운영비 중에서 특히 경상운영비를 감소시킬 수 있도록 노력해야 하며, 군수지원의 질적, 양적소요와 정비업무량을 최소화시켜야 한다.

나. 관리 목표

무기체계에 대한 군수지원은 소요를 효율적이고 경제적으로 개발, 시험, 획득, 야전배치시까지 종합적으로 관리해야 하며 관리목표는 다음과 같다.

(1) 무기체계의 작전운용성능(ROC[21])을 충족하면서 군수지원 요소를 최소화할 수 있도록 탄약 설계에 군수지원성을 반영
(2) 탄약에 대한 정비 및 지원개념을 설정하고 세부 지원요소를 조기에 판단
(3) 설정된 종합군수지원 요소들이 주무기 및 탄약과 동시에 계획, 개발, 시험평가, 획득 배치되도록 보장하고 창정비 요소개발은 개발간 창정비 계획수립, 창 정비원 산정/초도 배치간 확정하여 양산간 개발토록 반영
(4) 비용대 효과 분석, 군수지원 분석 등을 통한 최적의 지원소요 산출
(5) 무기체계에 대한 표준화, 호환성 유지 및 개선
(6) 종합군수지원 요소를 통합하여 획득하기 위한 절차 제공

(21) ROC : Request Operational Capability

다. 종합군수지원 업무 수행시 고려사항

(1) 한국적 기후, 지형, 전투 환경에서 군수지원의 용이성

(2) 적정 정비계단 조정

(3) 기동화된 현장 및 근접정비 지원체제에 부합

(4) 직송 및 추진보급에 적합

(5) 기동부대에 종심 깊은 전투근무지원

(6) 주장비 배치 이전에 편성, 훈련, 보급지원 등 군수지원체제 준비

3. 종합군수지원의 역할

종합군수지원의 역할은 다음 그림과 같이 주 무기체계 설계(획득) 시 군수지원이 용이하도록 판단하고, 종합군수지원 요소를 개발(획득)하는 것이다.

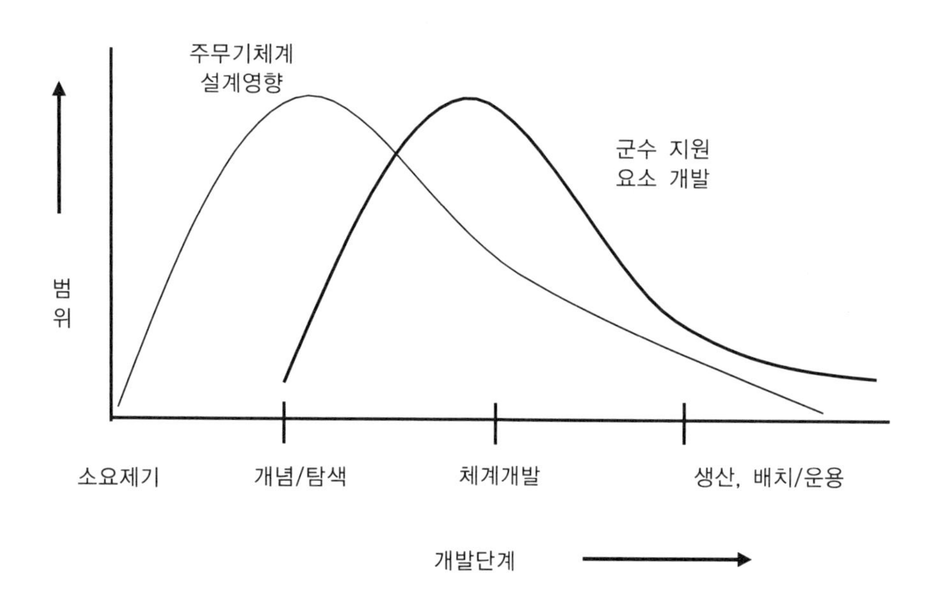

가. 설계(획득) 영향

연구개발 사업의 경우, 주무기/탄약 설계에 있어서 가장 큰 영향을 미치는 시점이 개념연구/탐색개발 단계이며, 이 시기는 탐색개발 단계 말에서 체계개발 단계 초이다.
이 시기에 사용군과 개발기관은 연구개발동의서와 개발계획서를 작성하고, 시제품을 초기설계 및 제작하는 과정에서 가장 많은 영향을 주게 된다.
만약 체계개발 단계 말과 양산기간 중에 주무기/탄약 설계를 변경하고자 할 경우에는 많은 노력과 비용이 소요되므로 사실상 어렵다. 왜냐하면, 기술시험평가가 완료된 후에는 설계가 거의 확정되기 때문이다.
설계영향 업무는 사용군과 개발기관이 긴밀한 협조 하에 수행해야 되어야 하며 사용군은 신무기/탄약의 군수지원 기준을 설정, 제시하여 설계제한사항으로 활용하고, 운용시험 결과를 부분적인 설계변경에 반영해야 한다.
개발기관은 전문가의 입장에서 설계도면을 분석하여 군수지원의 용이성을 반영하고, 기술시험 결과를 반영하여 설계개선 노력을 하여야 한다. 기술도입생산과 직구매 사업의 경우는 협상 및 기종결정 단계에서 각각 군수지원이 용이한 기종을 결정하도록 판단한다.

나. 종합군수지원요소 개발

종합군수지원 요소는 체계개발 단계부터 실질적인 개발을 시작하여 주무기체계 배치이전에 획득이 완료되어야 하며, 주무기/탄약운용 중에도 불합리한 군수지원 요소의 수정, 보완 등 부분적인 추가개발이 이루어진다.
종합군수지원 요소 개발은 적시성과 적절성이 보장되어야 한다. 적시성은 주무기와 병행개발을, 적절성은 여러 가지 군수지원 대안을 준비하여 비용 대 효과 면에서 분석한 후 군수지원 요소 상호간의 관계를 고려하여 최선의 대안을 선정해야 함을 의미한다.

4. 무기체계와의 관계

가. 종합체계관리

(1) 정의

종합체계관리(Total System Management)는 무기체계 획득시에 주무기와 전력화지원 요소인 교리, 편성, 교육훈련, 군수지원의 제요소를 유기적으로 동시에 발전시키기 위해 이들과 관련되는 모든 사항을 종합적으로 관리하는 활동이다.

현대 무기체계는 질 우선의 자본집약형으로 발전되면서 한층 복잡 다양해지고 있으며, 이러한 무기체계의 발전추세에 따라 전력화지원 요소의 비중은 물량, 금액, 사용 효과면에서 상대적으로 점차 증대되고 있다. 따라서 무기체계 획득시에는 전력화를 보장해주는 필수적인 요소인 교리(교범), 편성(인원편성/부대편제), 교육훈련(운용/정비요원 양성), 군수지원(보조장비, 수리부속, 공구, 정비계획, 시설, 기술교범 등)의 제반요소가 빠짐없이, 적절히 획득되어 주무기/탄약과 동시에 야전에 제공될 수 있도록 관리하여야 한다.

5. 종합군수지원 11대 요소

종합군수지원 요소(ILS Elements)는 무기체계의 수명주기간에 주무기/탄약을 효과적, 경제적으로 운용유지 할 수 있도록 군수지원을 보장해 주는 제반사항이다. 따라서 종합군수지원 요소는 무기체계 획득의 전 단계에서 종합되어야 하는 한 부분으로 주무기/탄약과 병행하여 개발되어야 하며, 여기에는 유형적인 요소뿐만 아니라 계획, 분석, 판단 등과 같은 활동과 제원도 포함된다.

종합군수지원요소는 종합군수지원을 적용하여 발전시키거나 획득하려고 하는 주요대상이자 업무중점을 나타내는 것이므로 국가간, 군간에 서로 상이하게 적용할 수 있다.
따라서 종합군수지원요소가 서로 상이한 것은 별로 중요하지 않으며, 단지 업무수행 과정에서 어떤 분야에 비중을 두느냐 하는데 그 의미가 있으므로 사업의 종류에 따라 융통성 있게 적용할 수 있다.

종합군수지원 11대 요소

구분	국방 훈령	육군 규정
1	연구 및 설계 반영	연구 및 설계 반영
2	표준화 및 호환성	표준화 및 호환성
3	정비지원	정비지원
4	지원장비	지원 및 시험장비
5	보급지원	보급지원
6	인력 및 인사	인력 및 인사
7	교육훈련 및 교보재	교육훈련 및 교보재
8	기술자료	기술자료
9	포장/취급/저장 및 수송	포장/취급/저장 및 수송
10	시설	시설
11	군수관리 전산자료 지원	군수관리 전산자료 지원

가. 연구 및 설계 반영

"연구"는 무기체계 소요제기, 설계, 개발, 획득, 최초운영능력 확인단계에 이르기까지 무기체계에 대한 최적의 종합군수지원 개념을 형성하고 구체화하기 위하여 사전에 관련자료 및 현상을 검토, 확인하는 활동을 말하며 세부내용은 다음과 같다.

(1) 종합군수지원 자료수집 및 검토/분석 활동

(가) 군수지원 개념설정
(나) 정비기술 획득소요 판단
(다) 탄약원생산국의 관리유지 실태 확인

(2) 핵심기술 획득 및 관리유지의 기술적 기반구축 활동

(가) 현재 운용하는 탄약의 관리/유지체계 구축에 파급효과가 기대 되는 분야
(나) 현 보유 유사 무기/탄약이 없는 신규 획득 탄약 분야
(다) 전략상 독자적으로 발전시켜야 할 관련 탄약 분야
(라) 차기세대에 지속적으로 발전시켜야 할 관련 탄약 분야

(3) ILS 개념형성과 ILS 요소 구체화를 위한 관리/유지기술 획득 활동

(가) 전투발전요소와 병행, 발전시켜야 할 군수지원요소 확정
(나) 요구운용능력(ROC)에 부합되는 최적의 군수지원 대안 도출
(다) 야전배치후의 예상 위험요소 해소 및 최소화

(4) 탐색 및 연구활동 결과 반영

(가) 체계 개념형성, 연구개발동의서 작성

(나) 협상 및 가계약, 구매계약, 편성 및 운용개념 설정

"설계반영"이란 무기체계의 전 개발단계에서 ILS에 관련된 모든 요구사항을 주무기/탄약 설계에 반영하는 활동을 말하며, 그 내용은 다음과 같다.

(5) 주무기/탄약 설계시 장비의 시험성, 정비성 등 군수지원의 용이성, 지속성, 운영유지비의 최소화 반영

(가) 설계 전

군수지원기준 설정 및 종합군수지원 문서에 반영, 제기

(나) 설계 중

1) 주무기/탄약 성능과 군수지원성의 교환분석(Trade-off Analysis)

2) 군수지원성 향상을 위한 설계개선

(다) 설계 후

1) 시제 생산시 참여, 의견제시

2) 시험평가 결과 반영

(6) 체계개발 동의서, 체계개발계획서, 종합군수지원계획서(ILS- P) 등에 포함

(7) 군수지원분석결과, 유사 탄약 경험제원 등을 주무기/탄약 설계에 반영

(8) 개발진행 과정에서 설계변경이 요구될 때 군수지원소요와 운영유지비 및 불가동시간이 최소화 되도록 결정

나. 표준화 및 호환성

"표준화 및 호환성"은 무기체계 개발 및 획득시 소요되는 재료, 구성품, 소모품등을 최대한 공통성을 유지시켜 장비간의 군수지원이 용이하도록 군수지원요소를 단순화하는 과정으로 세부내용은 다음과 같다.

(1) 신규개발·획득될 무기체계와 배치 운용중인 무기체계 및 신규개발 무기체계 자체내의 표준화 및 호환성이 유지되도록 설계에 반영

(2) 군수지원소요를 최소화 할 수 있도록 최대한 표준서에 의거 제작(수리부속, 탄약, 유류, 취급장비, 지원장비 등)

(3) 탐색개발, 체계개발동의서 작성, 체계개발시 표준화 및 호환성 반영

(4) ILS 요소중 표준화 및 호환성과 관련된 요소는 소요제기, 개발, 획득, 최초운영능력 확인시까지 반영하고 종합군수지원계획서에 포함하여 추진

다. 정비 지원

(1) 정비지원 개념

“정비지원”은 무기체계를 개발하는 전 기간동안 군수지원분석(LSA), 경험 제원 등을 반영하여 신규무기체계 전력화시 정비지원의 용이성, 효율성을 보장하기 위한 고려요소로 다음과 같다.

(가) 정비개념은 무기체계소요제기 단계에서 수립되어야 하며 여기에는 개략적인 정비계단 구분, 정비방침 및 책임, 정비지원여건, 정비단계별 정비허용시간 설정 등을 포함한다.

(나) 정비개념 설정시 고려사항

1) 정비계단 설정 및 정비지원 책임
2) 탄약의 특수성(정밀, 고가, 복합무기)
3) 요망 전투준비태세
4) 임무수행에 대한 무기체계의 긴요성
5) 무기체계 운용과 군수환경
6) 운영 유지비의 최소화
7) 목표 운용 가용도

(다) 활용

1) 설정한 정비개념은 무기체계 설계시 군수지원의 가능성 판단을 위한 기초로 활용
2) 군수지원 소요판단과 정비계획 수립, 정비할당표 작성시 근거를 제공

(2) 정비업무량 추정 및 분석

(가) 정비대상 품목의 정비인시 소요를 예측하고 정비업무량에 대하여 수리, 교환으로 구분하며, 수리시 적정 정비계단 설정

(나) 개발기관(교육사, 국과연)이 주관하여 수행하며 육군은 개발기관의 요구가 있을 때 소요자료를 제공

(다) 정비계단별 시설소요(개조, 추가) 판단

(라) 정비인력 소요판단 : 주특기 소요 및 주특기별 기술수준

(마) 정비대충장비(M/F)[22] 소요판단(주요 전투장비일 경우 해당)

(바) 정비할당표(MAC) 작성

(사) 군수품 기능 분류 및 관리책임 규정

(아) 하자보증 및 사후관리(A/S) 지원계획 수행방법

라. 지원 및 시험장비

“지원 및 시험장비”란 주무기/탄약의 운용, 유지에 필요한 모든 부수장비를 말하며 고장 및 예방정비활동을 위한 공구, 계측기, 교정장비, 성능측정 및 검사장비등이 있으며 정비활동에 소요되는 취급장비와 주무기/탄약 임무수행을 위한 장비를 포함한다.
지원 및 시험장비는 정비업무량에 영향을 미치며, 무기체계의 안정도 및 사용효과를 좌우할 뿐만 아니라 종합군수지원 비용의 많은 부분을 점유하는 중요한 요소이다.
지원 및 시험장비는 가능한 현존 지원 및 시험장비를 사용할 수 있도록 무기체계개발 전 단계에 반영해야하며 세부내용은 다음과 같다.

(1) 대상품목

(가) 일반공구 및 특수공구

(나) 시험, 측정 및 검사장비

(다) 정밀측정장비, 계측기, 교정장비

(라) 탄약취급 장비(구난차, 크레인, 지게차, 탄약차량 등)

(마) 보조 장비(발전기, 냉 · 난방기, 특수천막 등)

(바) 유류, 탄약지원용 특수장비

(사) 근접정비 지원용 장비(야전 탄약보급소 지원용 장비)

(22) M/F : Maintenance Float

(2) 소요검토 책임

(가) 연구개발, 기술도입생산

1) 국방과학연구소 및 주 계약업체에서 1~4계단 정비에 필요한 지원 및 시험장비 소요를 육군에 제시한다.
2) 육군(전력단)은 각 군사, 군수사를 통하여 동일/유사기능의 시험장비 사용유무 및 필요성을 검토보고 받은 후 개발여부를 결정한다.

(나) 직구매

교육사(시험평가단)는 제안요구서(RFP(23)-1)작성시 지원 및 시험장비획득을 위해 구체적인 사항을 명시하여 국외 생산업체에서 관련자료를 제출할 수 있도록 하며, 시험평가시 획득 여부에 대한 식별을 실시한다.

(3) 지원 및 시험장비는 무기체계의 유사기능을 통합하여 지원할 수 있도록 개발, 획득하되 진부화에 대한 면도 고려해야 한다.

마. 보급 지원

"보급지원"은 주무기/탄약과 동시에 획득~보급되어야 할 초도 보급 소요와 운영유지를 위한 물자 및 관련제원 등 이와 관련된 사항을 포함한다.
초도보급은 탄약 개발, 획득시 고려되어야 할 중요한 사항으로 주무기/탄약 배치 후 사용부대 및 야전정비부대에서 필요한 지원 품목의 범위와 소요량을 군수지원분석을 통하여 결정하고, 이를 획득하여 관리하는 과정으로, 고려해야 할 세부내용은 다음과 같다.

(1) 보급지원체제 및 지원절차 수립
(2) 동시조달수리부속(CSP), 기본불출품목(BII) 소요산정

(23). RFP : Request for Proposal

(3) 규정휴대량(PL) 및 인가저장품목(ASL) 설정(장비)
(4) 탄약 및 유류 소요 판단
(5) 제대별 보급수준 설정
(6) 보급지원 인원소요 판단 및 편성
(7) 보급지원 기술발간물 및 제원 작성

바. 인력 및 인사

인력 및 인사는 무기체계 운영유지에 소요되는 운용요원, 정비요원, 보급요원 등에 대한 주특기 신설, 주특기별 인원소요, 소요인원이 충원되도록 편제반영 등에 대한 활동으로 고려할 사항은 다음과 같다.

(1) 탄약운용 및 유지에 필요한 인원 및 주특기 소요
(2) 야전 정비인력에 대한 보충 및 주특기 소요
(3) 특수기술 및 위험기술 인원 소요판단
(4) 비밀취급인가(운용, 정비) 소요
(5) 인간공학적 요소를 주무기/탄약 설계에 반영

사. 교육훈련 및 교보재

"교육훈련 및 교보재"는 새로운 무기체계의 전력화이후 효율적인 군수지원을 위하여 운용 및 정비요원(부대/야전)에 대한 교육훈련 계획수립 및 실시, 그리고 주무기/탄약 개발시 Package화하여 교육훈련장비 및 교육보조재료를 개발 · 획득하는 활동이다.
정비요원에 대한 교육훈련은 신규 무기체계를 운용하기 위한 초도배치전 교육과 전력화 이후 손실인원을 충당하기 위한 양성교육으로 이루어지며 전력화요소의 교육훈련과 연계하여 발전시켜야 한다. 교육훈련 및 교보재에서 고려해야 할 사항은 다음과 같다.

(1) 훈련모의기 소요판단 및 개발획득
(2) 교보재 및 교육훈련 S/W 소요판단 및 개발획득
(3) 양성교육계획 발전 및 반영
(4) 초도배치전 교육계획 최신화 및 ILS-P 반영
(5) 시험평가계획에 시험평가요원 교육계획 반영

아. 기술 제원

"기술제원"은 무기체계 개발 및 운용유지에 필요한 제반 문서와 자료를 말하며 여기에는 주무기/탄약, 지원장비, 훈련장비, 수송 및 취급 장비, 시설 등의 개발문서와 생산, 시험, 운용, 정비, 비군사화 등에 사용되는 기술자료 등이다. 기술제원은 주장비 설계변경, 탄약방침의 개정, 군수지원요소의 변경에 따라 최신화 되어 주무기/탄약의 야전배치와 동시에 소요되는 기술자료로 보급되어야 하며 그 세부내용은 아래와 같다.

(1) 기술자료 묶음(TDP)[24]

(가) 규격서, 도면, 수정작업명령서(MWO)[25], 주유명령서(LO)[26]
(나) 검사/시험/교정 절차서, 설치 지시서, 운용 지침서, 점검표

(2) 기술교범

(가) 기본형

1) 사용자교범(10)
2) 부대정비교범(20)
3) 직접지원 정비교범(30)

(24). TDP : Technical Data Package
(25). MWO : Modification Work Order
(26). LO : Lubrication Order

4) 일반지원 정비교범(40)

5) 수리부속품 및 특수공구목록교범(P)

6) 창정비 작업요구서(DMWR), 창정비 검사기준서 포함

(나) 통합형

1) 사용자, 부대정비, 수리부속품/특수공구 목록교범(12 및 P)

2) 사용자, 부대, 직접지원, 일반지원 정비교범(14)

3) 직접지원, 일반지원 정비교범(34)

4) 부대, 직접 · 일반지원, 수리부속품/특수공구목록 교범(24P)

자. 포장, 취급, 저장 및 수송

무기체계의 포장, 취급, 저장 및 수송에 필요한 특성, 요구사항, 제한사항(안전규정)등은 주무기/탄약, 부수 및 지원장비, 시험계기 등의 요소가 안전하고, 경제적으로 취급, 저장 및 수송될 수 있도록 설계하고 개발하여 획득해야 한다. 포장, 취급, 저장 및 수송요소를 개발 · 획득하기 위해 고려할 사항은 다음과 같다.

(1) 가용한 수송방법으로 수송이 보장되도록 무게, 크기, 부피 등 수송제한 사항을 고려하여 설계, 개발, 획득 되도록 반영

(2) 특수면허나 특별 수송방법 등이 필요시 관련수송기관과 협의

(3) 액체 및 위험물 등의 수송에 따른 안전대책과 국내 · 외 법적 제한 사항 및 운용제한 사항

(4) 보급품의 포장은 국내표준규격(KS) 및 군 표준 규격서에 규격된 표준화 물깔판과 국제 표준기구의 표준화물 콘테이너에 적합하도록 설계

(5) 취급제원(중량, 규격 등)을 적송용 포장 외부에 표기하여 취급의 용이성 보장

(6) 수송, 취급, 저장, 작업중에 물리적, 기계적 손상으로부터 효율적, 경제적으로 보호하기 위한 보호수준 설정

(7) 포장제원 및 절차는 각종 보급품의 개발과 동시에 개발하고, 시험 평가시 확인
(8) 독성, 인화성, 부식성, 동파성, 방전성, 변질성 등에 대한 대책
(9) 저장건물, 공간, 보조물, 보호방법, 물자취급장비 및 안전등을 고려하여 계획
(10) EMI 대책, 충격방지/흡수 등을 고려한 포장, 취급, 저장 및 수송대책을 강구

차. 시설

무기체계를 훈련, 운용, 정비, 보급하는데 필요한 모든 부동산과 관련 설비 및 장비를 포함하여 무기체계의 설계가 변경됨에 따라 설계기준도 변경되어야 한다. 무기체계 배치 2년 전부터 토지매입 및 시설건설이 시작되어 무기체계 배치 전까지 완료해야 한다. 무기체계를 위한 설계 요구조건을 작성 공병감실에 설계 및 공사(예산포함)에 반영되도록 해야 하며, 그 세부내용은 다음과 같다.

(1) 현존 시설의 이용가능, 개조 및 개량소요판단
(2) 주무기/탄약 운용에 필요한 부대시설 및 지원시설 건설소요
(3) 주무기/탄약 정비에 필요한 정비계단별 정비시설소요
(4) 기술 및 운용시험 실시장소 및 시설소요
(5) 시설보안 및 전술적 측면 검토
(6) 운용 및 정비시설의 환경(온도, 습도, 먼지 등) 대책
(7) 보급품 저장시설 소요 및 저장환경

카. 군수관리 전산자료 지원

"군수관리 전산자료 지원"이란 무기체계의 수명주기(소요 결정, 연구개발,

획득, 운영유지)를 통하여 관련부서(기관)의 관리자가 의사결정에 필요한 군수관리정보를 제공하는데 요구되는 전산장비 및 제반 프로그램 개발, 운용인력 및 체제구성, 관련된 각종 문서 등의 지원활동으로서, 무기체계개발 및 운영유지과정을 통하여 ILS개발자, 관리자에 의해 종합군수지원 요소별, 기능별로 신빙성이 있는 제원으로 최신화 하여 사용할 수 있도록 한다.

6. 전문 분석 기법

가. RAM 분석

(1) 개요

(가) 정의

램(RAM)분석은 램(RAM) 요소별 예측 및 분석활동을 통하여 설계지원 및 평가, 설계개선 및 대안도출, 군수지원분석 등을 지원하는 업무로서 신뢰도(Reliability), 가용도(Availability), 정비도(Maint-ainability)의 영문 머릿문자를 조합한 약어이며, 어떤 체계의 고장빈도, 정비업무량 및 전투준비태세 등을 측정하는 척도로 활용한다.

1) 신뢰도(Reliability)

신뢰도란 어떤 체계가 주어진 조건하에서 일정한 기간 동안 고장없이 목표된 기능을 수행할 수 있는 정도(확률)를 뜻하며, 고장빈도와 관계되는 요소이다. 신뢰도는 다음과 같이 표시된다.

$$\text{신뢰도(Rt)} = \frac{\text{일정기간 동안 운용결과 무고장 대수(n)}}{\text{총 운용 대수(N)}} \times 100$$

2) 가용도(Availability)

가용도란 어떤 체계가 고장과 수리를 거쳐 임의의 시점에서 가동

상태에 있을 확률을 뜻하며, 신뢰도와 정비도에 의해 결정된다. 가용도는 어떤 체계가 불시에 임무를 부여받았을 때 가용될 수 있는 정도를 나타내는 것으로 무기체계의 경우에는 전투준비태세 측정치로 사용되며 운용환경에 따라 고유가용도, 달성(성취)가용도, 운용가용도로 분류된다.

가용도(At) = f{신뢰도(Rt), 정비도(Mt)}

3) 정비도(Maintainability)

정비도란 규정된 정비여건이 갖추어진 상태하에서 정비를 실시할 경우에 지정된 기간내에 어떠한 체계가 규정된 상태로 복구될 수 있는 정도(확률)를 뜻하는 것으로 정비의 용이성, 즉 정비업무량과 관계되는 요소이다. 정비도는 일반적으로 다음과 같이 표시한다.

$$\text{정비도} = \frac{\text{부여된 기간내 정비 완료된 대수(n)}}{\text{정비시도 대수(N)}} \times 100$$

이상에서는 램(RAM)에 대한 이해를 용이하게 하기 위해 그 정의를 요약하여 설명하였으나, 램(RAM)은 응용하는 사람에 따라 서로 다른 의미를 부여하는 광범위한 뜻을 지니고 있다. 즉, 체계를 설계하는 설계자에게는 무기체계 및 물자의 품질, 설계형상, 기술 및 공학적 관리와 관련된 기술적 문제로서 설계기준으로 활용되며, 군수 운용자가 인력, 수리부속, 탄약특수장비 및 탄약차량 등의 군수자원과 지원업무를 배분하는 도구로 활용할 수 있다. 또한 획득단계에서의 군수요원은 램(RAM)을 활용하여 군수지원 요소별 소요를 판단하고 나아가서는 운영유지비를 예측할 수 있다. 무기체계 획득 과정에서 램(RAM)이 중요한 의미를 가지는 것은 고(高) 신뢰도의 무기체계를 야전에 배치함으로써 불가동시간을 최소화하는 동시에 경상운영비를 감소시킬 수 있기 때문이다. 이것은 결과적으로 무기체계 사용효과를 제고하여 전투력 증강에 기여할 뿐만 아니라 수명주기비용을 절감함으로서 효과성과 경제성을 보장하는 것이다.

(나) RAM적용의 필요성

1) 수명주기 비용절감

RAM 기법을 적용하게 되면 탄약의 설계 및 시험비용은 더 많이 요구되지만 램(RAM)분석을 통한 군수지원의 향상효과를 가져와 탄약의 운용 및 지원비용을 줄일 수 있으므로 탄약의 수명주기비용 면에서 실질적인 절감효과를 기대할 수 있다.

2) 무기성능 향상 및 인명 피해 방지

탄약의 효율성을 높이고 고장을 미연에 방지할 수 있으므로 탄약의 성능 향상은 물론 안전 면에서도 예방정비를 통하여 각종 사고가 예방된다.

3) 원활한 군수지원

정비단계별로 램(RAM)요소 값의 정확한 산출을 통하여 예비부품, 수리부속품 등의 정비계획 및 보급지원에 즉각적인 대처가 가능하다.

4) 의사 결정의 계량적 근거 제시

의사결정을 위한 대안설정 및 각 안별로 램(RAM) 비교를 통하여 맹목적이 아닌 계량적 근거에 의한 중요의사 결심자료의 제공이 가능하다.

(2) 정량적 계산방법

(가) 신뢰도 산출

신뢰도는 수요군의 장비요구성능, 계약요구 규격, 시험지침, 성능평가를 나타내기 위하여 산출되고 산출된 신뢰도 값은 임무달성의 평가요소로 작용한다. 신뢰도와 관련된 용어와 개념은 다음과 같다.

<table>
<tr><th>항목</th><th>설명</th></tr>
<tr><td>고장 평균 운용시간
(MTBF : Mean Time Between Failure)</td><td rowspan="2">총 운용시간(또는 주행거리, 사격발수)을 총 고장횟수로 나눈 값으로 정의</td></tr>
<tr><td>고장 평균 주행거리
(MKBF : Mean Killometer Between Failure)</td></tr>
</table>

고장 평균 사격발수 (MRBF : Mean Round Between Failure)	
고장률(λ : Failure Rate)	단위시간(또는 운행거리, 사격발수) 동안의 고장 발생수량 즉, MTBF(MKBF, MRBF)의 역수
시스템 신뢰도(System Reliability)	규정된 조건하에서 성능상 고장이 없을 확률 또는 사용기간
임무 신뢰도(Mission Failure)	규정된 임의 기간동안 요구된 기능을 수행할 확률 또는 사용기간

시스템 신뢰도는 그 시스템의 어떤 신뢰도 모델을 구성하고 있느냐에 따라 달리 계산된다.

(1) 고장 평균 운용시간$(MTBF) = \frac{\text{총 운용 시간}}{\text{총 고장 횟수}}$

(2) 고장 평균 주행거리$(MKBF) = \frac{\text{총 주행 거리}}{\text{총 고장 횟수}}$

(3) 고장 평균 사격발수$(MRBF) = \frac{\text{총 발사 탄수}}{\text{총 고장 횟수}}$

(4) 고장율$(\lambda) = \frac{\text{총 고장 횟수}}{\text{총 운용 시간}} = \frac{1}{MTBF}$

(나) 정비도 산출

정비도는 신뢰도와 함께 가용도를 산출하는데 필요한 요소이며 그 평가를 위하여 평균 수리시간, 정비율, 정비활동간 평균시간 등을 산출한다.

(다) 가용도 산출

1) 고유가용도

고유가용도란 계획정비 없이 규정된 조건하에서 가동상태에 있을 확률로서 체계 자체의 요인 즉, 고장으로 인한 불가동 시간만을 반영한 값이다. 고유가용도는 체계개발단계에서 체계의 설계개념을 설정할 때 이용된다.

2) 성취(달성)가용도

달성가용도는 고유가용도에 계획정비 시간을 추가로 고려한 것으로 체계 자체의 직접적인 원인 즉, 정비(고장, 예방)와 관련되지 않는 불가동시간을 제외한 값이다.

달성가용도는 체계개발이 활발히 수행되는 체계개발 단계로부터 최초운용능력 확인 단계까지 적용된다.

3) 운용가용도

체계를 운용하는 경우에는 체계자체의 직접적인 원인에 의한 불가동시간이 아닌 간접적인 원인에 의한 불가동시간을 무시할 수 없다. 따라서 운용가용도는 현실적으로 발생할 수 있는 모든 불가동시간을 고려한 값으로 체계운용시에 적용된다.

따라서 운용가용도는 탄약이 실제의 운용환경과 규정된 조건하에서 사용될 때 임의의 시점에서 만족스럽게 작동할 확률이며 탄약체계가 만족해야 할 운용가용도는 탄약체계의 작전운용형태 및 임무유형(OMS/MP) 또는 전투준비태세로부터 산출하고 운용가용도를 만족하는 운용 MTBF를 구하는 것이며 전투준비태세 수준으로부터 운용가용도를 결정하는 기본적인 개념은 체계가 1년 또는 어떤 주어진 시간 중 얼마동안 작전 가능한 상태에 있어야 하느냐 하는 요구조건을 설정하는 것으로 체계의 종류, 전투준비태세의 요구조건에 따라 달라진다.

(3) RAM 기초 이론

(가) 신뢰성 공학

1) 신뢰성 이론

신뢰성 이론의 발달 초기에는 어떻게 하면 고장을 적게 하느냐 하는 문제에 착안하고 있었다. 그러나 1950년대에 들어서 신뢰성에 관한 체계화를 이룩하고 신뢰성이 무엇인가 명확히 정의를 내리면서부터 신뢰성이론은 점차 그 틀이 짜여지게 되었다.

2) 신뢰성의 의미

가) MTTF(Mean Time To Failure)

신뢰성에서 가장 중요한 것은 내구도 이다. 왜냐하면 어디에서나 쉽게 사용할 수 있고 기능이 좋은 제품이라고 하더라도 장기간 사용하지 못한다면 제품의 기본적인 목적을 달성할 수 없기 때문이다. 그러나 여기서 장기간 사용한다고 하는 것은 단순히 오래 간다는 것을 의미하지 않고 요구되는 사용기간동안 충분히 기능을 발휘하면서 오래 사용할 수 있음을 의미한다. 일례로 흔히 마법의 3륜차가 인용되는데, 이것은 마차의 사용 기간이 3년이라면 정확히 3년 동안은 무사고로 그리고 3년이 경과하면 마차는 저절로 분해되어 없어져 버리는 것을 말한다. 이런 경우 마차의 신뢰도는 100%라고 할 수 있다.

이와 같이 신뢰도가 일반적으로 폭넓게 산업계에 보급되어 가면서 일반 내구 소비재의 내구도를 MTTF(Mean Time To Failure, 고장까지의 평균시간, 평균수명 또는 평균고장 수명)로 쉽게 표현하기도 한다.

나) MTBF(Mean Time Between Failure)

MTBF(Mean Time Between Failures, 고장간 평균시간 또는 평균수명) 또는 이의 역수인 고장률(Failure Rate)이 사용된다. MTBF는 오래 전부터 광범위하게 사용되어 왔다.

MTBF에 대하여 다음과 같이 생각할 수도 있다. 일반적으로 많은 제품들로 구성된 시스템은 보통 일반적인 조건하에서 지수분포에 근사한 수명분포를 따른다는 것이 이미 알려져 있다(Drenick의 정리). 즉, 많은 시스템은 우발고장이 일어난다고 할 수 있다. 이때 지수분포의 평균치가 곧 MTBF가 된다.

따라서 내구도는,

- 오래간다는 의미에서의 내구도 - 신뢰도, MTTF
- 고장이 적다는 의미에서의 내구도 - 고장률, MTBF로 표현될 수 있다.

이상과 같은 개념을 토대로 하여 일반적으로 평균수명(MTTF)을 불수리 품목에서 수명의 평균치, 고장간 평균시간(MTBF)을 수리 품목에서 고장간격의 평균치라고 할 수 있다. 고장간격이 지수분포를 따를 경우 어느 기간에도 고장은 일정하므로 MTBF는 곧 고장률의 역수가 된다.

MTTF는 불수리 품목이 고장나서 새로 교환될 때까지의 평균시간을 말하므로 문자 그대로 평균수명이라고 할 수 있다.

다) 정비도(Maintainability)

시스템이나 제품(일반 내구 소비재)에서 단순히 내구도를 추구하는 것은 비용측면에서 볼 때 무의미한 경우가 많다. 한 예로 수명이 짧고 고장이 일어나기 쉬워도 그 고장이 시스템에 대하여 치명적이지 않고 즉시 다시 수리할 수 있는 고장이라면 시스템을 사용하는데 큰 장애가 된다고 할 수 없다. 결국 내구도가 적더라도 빨리 고칠 수 있다면 사용하는 데는 문제가 없다. 이와 같은 관점에서 볼 때 신뢰성의 제2의 의미로 정비도(Maintainability)를 고려하여야 한다. 정비도의 한 척도로서, 품목이 유지되어질 수 있다는 조건하에서 규정기간 내에 보전이 종료될 확률이라고 정의하고 있다. 그러나 고장이 난 후 빨리 고칠 수 있다는 것만으로는 소비자가 충분히 만족을 얻지 못하는 경우가 많다. 그 이유는 사용중 고장이 소비자에게 치명적인 피해를 줄 수 있기 때문이다. 예를 들어 항공기의 엔진 고장이나 중요설비의 돌발 고장 등이 이런 경우이다. 따라서 고장이 일어나지 않도록 사전에 일상정비 및 점검을 해야 하고 경우에 따라서는 사전교체나 예방보전을 합리적으로 하여야 한다.

지금까지 설명한 정비도는 다음과 같이 정리할 수 있다.

- 수리하기 쉽고 수리시간이 짧다는 의미에서의 정비도 MTTR (Mean Time To Repair, 평균수리시간), 접근성, 교환성
- 고장을 사전에 억제한다는 의미에서의 정비도 예방정비, 고장예방, 모니터링, 개량보전

라) 가용도(Availability)

마지막으로 신뢰도와 정비도를 종합한 중요한 척도에 대하여 알아보고자 한다. 가용도는 시스템이 어느 정도 유효하게 가동하는가를 나타내는 척도이므로 보통 유효율 또는 가동률이라고 부른다. 가용도는 MTBF가 큰 경우 100%에 가깝지만 MTBF가 작더라도 MTTR이 아주 작다면 100%에 근접하게 된다.

(4) RAM업무 수행 절차

(가) 개발단계별 RAM 활동

1) 개요

RAM 분석자는 무기체계 획득주기와 밀접한 관련을 가지고 주요업무를 추진하게 되며, 운용개념 분석에서부터 야전자료 수집/관리까지 일련의 과정을 거치게 된다. 또한 기체계 개발과정에서 개발될 무기체계의 운용형태 및 임무를 분석하여 RAM 요소 목표치(MTBF, MRBF, MTTR, MR, 가용도 등)에 대한 요구사항을 도출하고 또한 공학적 기법 혹은 수학적 모델을 사용하여 RAM 요소 목표치를 예측함으로써, 이 예측값이 체계의 설계지원이나 군수지원분석의 기초자료가 되도록 해야 한다. 이러한 RAM 업무는 무기체계 획득주기와 밀접하게 관련이 있는데 무기체계 개발단계는 아래와 같다.

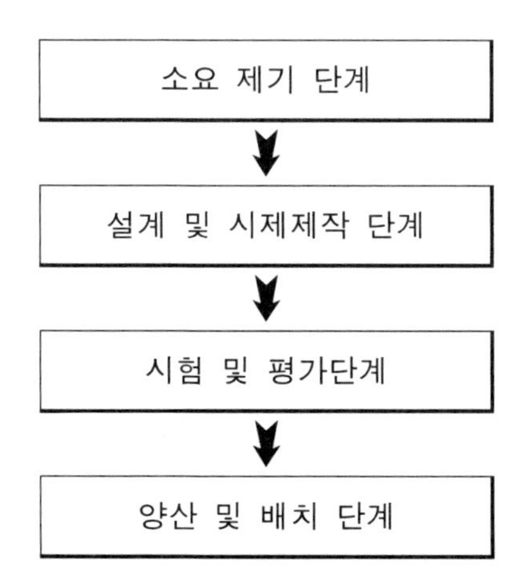

또한, 무기체계의 신뢰도 시험을 위한 시험의 계획 및 신뢰도 성장을 입증하도록 하고, 무기체계가 야전에 배치되면 야전 데이터를 수집/분석함으로써 RAM 활동에 필요한 자료를 활용될 수 있도록 해야 한다.

나. 비용대 효과 분석

(1) 개 요

(가) 정의

비용대 효과분석은 어떤 목표를 달성할 수 있는 여러가지 대안중에서 최적의 대안을 선택하기 위해, 투입될 비용과 획득효과를 배비하는 분석기법이다.

비용대 효과분석의 기본요소는 목표, 대체수단, 비용(소요자원)의 수학적 논리적 분석 모델 및 선택기준으로 구성된다.

(나) 비용대 효과측정 방안

비용 대 효과는 임무달성(무기체계 효과)과 총 수명주기간 비용에 의한 무기체계의 측정기준과 관계가 있다.

비용대 효과는 특정임무 또는 측정할 무기체계의 매개변수에 따라 다양하게 표시될 수 있으며, 실제적으로 정확하게 정량화 될 수 없다.

예를 들면, 타 무기체계 운용에 따른 무기체계의 상호작용, 환경요소, 기타 등 무기체계의 지원 및 운용에 영향을 주는 많은 요소들이 있기 때문이다.

따라서 다음과 같은 비용 대 효과 측정방안을 일반적으로 사용한다.

1) 비용대 효과 측정기준(1안)= $\frac{\text{무기체계 효과}}{\text{수명주기 비용}}$

2) 비용대 효과 측정기준(2안)= $\frac{\text{정비간 평균시간}}{\text{수명주기 비용}}$

(2) 비용 예측 이론

(가) 개념

무기체계 획득시의 비용분석은 획득방법인 연구개발, 기술도입생산, 해외구매 중에 한가지 방안을 선택하거나, 결정된 방안에 따라 무기체계를 획득하는 기간 중에 일어나는 여러 가지 문제점을 해결하기 위해 사용된다.

무기체계 획득비용 분석은 정확한 비용을 산정하는 것이 궁극적인 목적이 아니고, 비용 대 효과분석 구조의 한 부분으로서 다른 한 부분인 효과분석에 대응하여 여러 가지 대체적 획득방법의 상대적 가치를 비교 평가하여 최적의 대안을 선택하는 것이 목적이다.

무기체계 획득비용은 계획수립과 의사결정 시점을 기준으로 하여 과거지사는 과거의 의사결정에 의한 매몰비용(Sunk cost)이므로 현재의 의사결정에 영향을 줄 수 없으며, 오직 미래에 추가적으로 발생할 증가비용(Incremental cost)만이 적절한 비용(Relevant cost)으로 현재의 의사결정에 반영된다. 무기체계 획득비용은 대안결정을 위한 의사결정 비용이다. 따라서 대안을 전제로 한 대체 비용(Alternative Cost)이며, 기회비용(Opportunity Cost)이다.

무기체계 획득비용은 각 대안의 획득과정에서 소요되는 모든 물자, 기계, 시설, 용역들을 총체적으로 망라하며, 장차 5년 내지 10년 후의 비용을 예측하는 것이므로 불확실성이 내포된다. 왜냐하면 장기적 분석시계(Time Horizon)를 사용하기 때문이다.

무기체계 개발시 소요예산을 판단할 때 정확한 소요예산의 산출은 매우 어려운 일이다. 충분한 자료가 없고, 우리 여건에 적합한 비용예측 방법이 개발되어 있지 않는 현시점에서 정확한 소요예산 판단을 요구하고, 소요예산 보다 비용이 많이 발생해서는 안 된다는 사실을 고집한다면 최상의 무기체계 획득은 어렵게 될 것이다. 따라서 소요예산을 집행하면서 최초 추정한 비용자료와 실제 발생되는 비용을 비교하여 추정한 비용보다 많이 발생시 원인을 분석하고 타당할 때에는 예산이 추가로 지원될 수 있는 융통성을 갖추어야 한다.

(나) 일반적 원칙

1) 무기체계의 획득과정 설정

2) 획득과정 추정의 비용화

3) 할인율과 물가상승률 적용

4) 가능한 한 비용예측의 불확실성 감소

5) 생산량을 고려한 단위당 비용 예측

할인율이란 미래의 기대수입과 현재의 수입사이의 중요성이나, 시간적 선호(Time Preference)의 차이를 측정하기 위한 특정한 이자율(Interest Rate)을 말한다. 화폐의 시간적 개념에 의한 현재의 화폐가치는 미래의 화폐가치보다 크다. 따라서 어떤 적정수준의 이자율을 사용하여 미래의 화폐가치를 할인해야 하며, 이때 물가상승률도 고려해야 한다. 무기체계 획득단가는 획득량이 증가할수록 감소하는 경향이 있으므로 이를 적용해야 한다. 연구개발이나 기술도입생산의 경우에는 일반적으로 무기 또는 장비의 생산비용은 생산량이 증가할수록 점차로 감소한다.

6) 동일시계 사용

비용분석을 위하여 동일한 시계(Time Horizon)를 설정해야 한다. 무기체계 획득 대안을 논리적으로 모순 없이 분석하려면 각 대안에 공동적으로 동일한 시계가 필요하다. 즉, 어떤 대안은 5년 시계로 비용을 계산하고 다른 대안은 7년 시계로 비용을 계산한다면 비교의 일관성이 없으므로 대안의 비교가 무의미하게 된다.

(다) 비용 예측 방법

1) 출판물 이용
2) 유사체계와 비교
3) 전문가의 의견
4) 통계적 접근방법
5) 산업공학적 방법

(라) 비용 예측 절차

1) 획득절차 파악
2) 자료수집 및 분석

3) 비용분류 구조 설정　　4) 총비용 행렬 설계
5) 비용 예측　　6) 비용 산출 및 점검

(마) 무기체계 효과 측정

1) 무기체계 효과의 개념

무기체계 획득효과란 무기체계 획득에 수반되어 발생되는 총체적 가치(Total Value)를 말한다. 무기체계 획득효과는 총체적 시스템 차원에서 분석하여야 하기 때문에 전체 효과에 기여할 수 있는 관련효과 요소를 명확하고 중복됨이 없이 식별하는 것이 매우 중요하다. 그러나 이러한 모든 효과 요소를 어떤 단순한 수학적 공식으로 산출할 수는 없다.

따라서 효과 요소 중에서 정량적(Quantitative)요소는 해석적으로 연구하여 정량화하고, 정성적(Quali-tative) 요소는 전문가의 의견을 수렴하여 가능한한 정량화하여야 한다. 무기체계의 직접효과는 무기체계의 군사적 특성이며, 간접 파급효과는 군사적 목적을 위해 획득한 무기체계로 인해 발생되는 파생적 효과로, 정성적 요소이므로 계량화가 어렵다. 효과분석은 대안비교가 핵심이므로 정성적요소의 차이점이 없을 경우 굳이 정량화 할 필요 없이 같은 척도를 부여하면 된다.

(3) 분석 방법

(가) 정량화 방법

1) 정량적 요소

가장 대표적 방법인 미국 무기체계 효과 기술자문위원회(WSEIAC : Weapon System Effectiveness Industrial Advisory Committee)에서 개발한 효과분석 방법인 ADC(Availability, Dependability, Capability) 모형을 중심으로 우리나라의 특성에 맞도록 정량화한다.

2) 정성적 요소

무기체계의 효과중에서 정량화가 수학적으로 불가능하다고 보는 요소들을 정성적인 효과요소로 분류하고 전문가의 의견을 이용한 델파이 법(Delphi Method)을 이용하여 정량화시킨다.

다. 군수지원 분석(LSA, Logistics Support Analysis)

(1) 개 요

(가) 개념

군수지원분석(LSA : Logistics Support Analysis)이란 무기체계의 전 수명주기 간에 걸쳐 군수지원 요소를 확인, 정의, 분석, 정량화, 처리하기 위한 체계적인 활동이다.

1) 확인 : 신장비에 필요한 군수지원 요소 식별(識別),판단
2) 정의 : 식별된 군수지원 요소의 특성, 범위 등의 정의
3) 분석 : 군수지원 요소의 대안준비 및 최적대안 선정
4) 정량화 : 선정된 대안에 대한 정량적 기준 설정
5) 처리 : 군수지원 관련사항 입·출력 적용 및 경험자료의 군수지원분석은 무기체계 획득관리 업무의 전 단계상에서 주장비와 지원체계를 결정하는데 필요한 정보를 제공하며 해당 무기계계의 운용유지 비용을 최적화시키는 동시에 무기체계 운용시 지속적인 군수지원이 이루어 질 수 있도록 보장하는 종합군수지원의 실체적인 활동이다. 따라서 군수지원분석은 무기체계 획득관리 전 단계에 걸쳐 반복적으로 수행하여 주장비 설계에 영향을 미치므로서 군수지원의 필요성을 최소화하고 배치 및 운용시 필요한 군수지원 요소를 식별하며 이를 규격화하는데 그 업무의 중점이 주어진다.

(나) 목적

무기체계가 획득순기 동안에 소요되는 제반 군수지원요소를 최소화하고, 장비의 성능 및 효율을 높혀 전투준비태세를 극대화하기 위

해 군수지원분석 업무를 수행하며 지원체계의 요소를 분석, 평가하여 다음과 같은 효과를 얻도록 정량적, 정성적인 업무분석이 추진되어야 한다.

1) 군수지원 소요의 최소화
2) 불가동시간의 최소화
3) 운용유지비용의 최소화
4) 지원체제의 단순화

(다) 업무영역 및 관련분야와의 관계

1) 업무영역

군수지원분석 업무는 아래표 표에서 보는 바와 같이 획득관리 전단계에서 선별적이고 반복적으로 수행하는 분석활동과 그 분석결과를 전산처리하여 종합군수지원 요소를 개발하기 위한 자료를 만들어 내는 활동으로 구분된다.

가) 군수지원 업무 분석활동

- 군수지원분석 계획수립 및 조정
- 주장비의 임무 및 지원체제 정의
- 군수지원 대안 개발 및 평가
- 군수지원 소요 결정
- 군수지원 요소의 지원성 평가

나) 군수지원분석 결과의 자료화 활동

- 업무분석 모델 및 자료처리 소프트웨어 개발
- 전산처리 입력자료 작성
- 전산처리 입력 및 출력
- 테이타 베이스 구축 및 응용

(2) 관련 분야와의 상관관계

군수지원분석은 새로운 무기체계의 군수지원요소를 식별하고 개발하는 일련의 과정으로 종합군수지원 업무의 핵심적 수단이다. 즉, 주장비 설계와 병행하여 군수지원 소요를 예측, 설계에 영향을 미침으로써 군수지원 소요를 최적화 할 수 있는 설계수준을 결정케 하고 군수지원 요소별 기준을 설정한다.

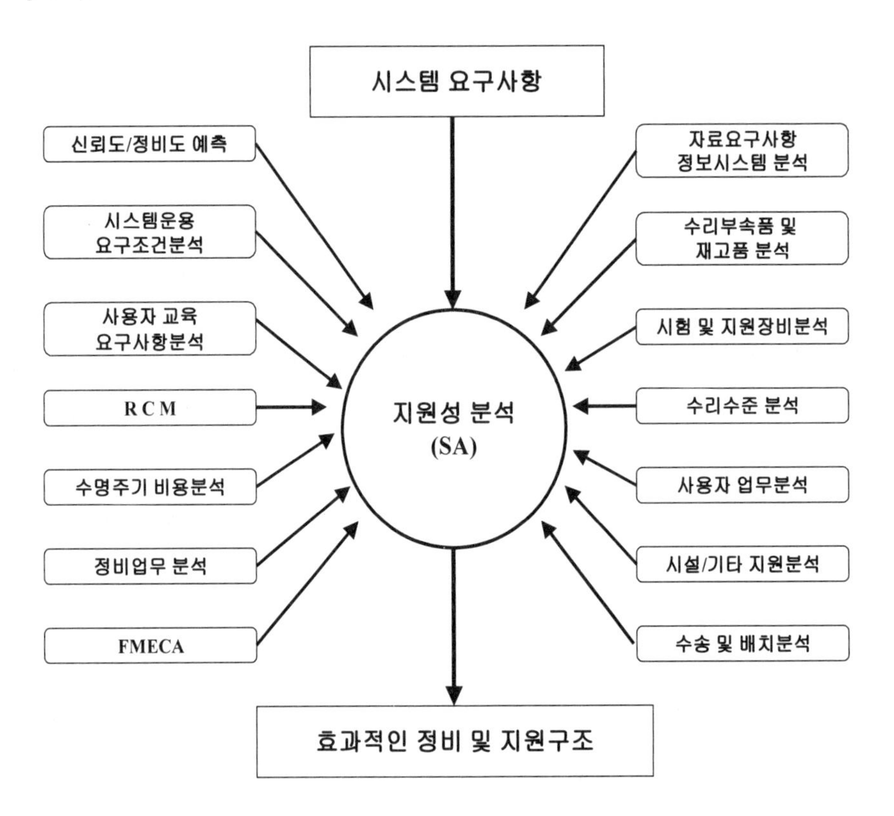

지원성 분석과 관련 기법간의 상관관계

또한 군수지원분석은 그 업무를 수행함에 있어 RAM 분석, 비용대 효과분석(COEA : Cost & Operational Effectiveness Analysis), 선택적 교환분석 등과 같은 각종 전문기법을 적용함으로써 효율적이고 과학적인 업무수행이 가능하다.

(3) 실시시기

군수지원분석은 무기체계 소요 제안시부터 최초운용능력 확인이 이루어 질 때까지 계속되며, 초기에는 공학적 추정을 통하여 각 획득대안에 대한 정비업무별 소요 및 군수지원 요소별 소요를 산출한다. 이들 소요는 장비설계가 진전됨에 따라 더욱 세분화되고, 시험평가를 거쳐 수정, 확정되며 주무기/탄약의 야전배치와 동시에 필요한 군수지원이 제공되어야 한다. 최초운용능력 확인 후에는 군수지원분석을 실시하지 않고 군수지원분석 결과 도출된 소요를 사용한 경험제원과 비교하여 정상 보급계통의 소요로 조정하거나 수정하게 된다. 운용중에 획득된 모든 자료는 환류(Feed-Back)되어 유사 무기체계 개발시에 군수지원분석 자료로 이용된다.

라. 수명주기 비용 분석

(1) 개요

일반적으로 무기체계의 형태와 특성은 다르더라도 무기체계의 획득과정은 대개 일정한 의사 결정의 흐름을 따라 이루어지며 무기체계의 신규소요가 발생되면 무기체계의 형태와 소요량이 결정되고 자체생산을 할 것인가, 기술도입 생산을 할 것인가, 또는 해외구매를 할 것인가 등의 획득대안이 구상된다. 가용한 획득대안이 열거되면 최적의 대안을 선택하기 위해 각 대안별 비용대 효과분석을 실시하고 분석결과의 최적대안이 선정되어 의사결정자에게 건의된다. 이때 대안별 비용대 효과분석을 위해 수명주기비용 분석이 요구된다. 과학기술의 급속한 발전으로 인해 무기체계 수명주기기간이 짧아지고 있는 경향이다.

(2) 수명주기 비용 구분

(가) 무기체계 획득비(연구개발비+투자비)

(나) 무기체계 운영유지비(직접 운영유지비+간접 운영유지비+폐기비)

1) 연구개발비(Research and Development Cost)

개념연구, 탐색개발, 체계개발에 투입되는 정부의 자금이 연구개발비이다. 연구개발의 결과물은 설계도면, 규격서, 생산계획 등과 같은 상세한 기술문서이다. 연구개발 노력과 관련된 모든 비용

즉, 기획, 관리, 설계, 시험, 평가, 특수장비 설비 등이 연구개발비를 구성하는 것들이다.

2) 투자비(Investment Cost)

무기체계 생산, 보급 및 동시조달 수리부속품의 지원, 그리고 최초운영능력의 구축과 입증은 투자비로 간주한다. 이것은 시스템 구축비용, 동시조달 수리부속품, 훈련 및 교육, 정비 및 감독 인력, 지원 및 시험장비, 문서화 비용, 정비시설 등의 비용을 포함한다.

투자비는 무기체계를 구축하기 위하여 정부가 업체에 지불하는 가격으로 간주되기 때문에 종종 다른 수명주기비용의 중요성을 간과하게 하며 비용절감 노력을 왜곡시키기도 한다. 무기체계 조달계약은 수천억을 넘기 때문에 엄청난 비용으로 보이기도 하지만 실제로는 무기체계를 전 수명기간동안 유지하기 위하여 정부가 부담하는 비용의 아주 일부분에 지나지 않는다는 점을 인식하여야 한다.

3) 운영유지비(Operation and Support Cost)

무기체계의 수명주기 동안에 발생하는 전체 비용중 가장 큰 비율을 차지하는 것은 운영유지비이다. 운영유지비는 무기체계를 유지하는데 소요되는 비용으로서, 인력, 연료, 부품 및 수리 등에 필요한 비용을 지칭한다.

(3) 필요성

우리나라의 현행 무기체계 획득방법은 국방부 훈령733('03. 5)에 의하면 연구개발, 기술도입생산 및 해외구매로 구분하고 있으며, 해외구매란 "무기체계 획득방법의 하나로서 외국에서 개발 생산한 무기체계를 완제품 형태로 구매하는 것"을 말한다. 일반적으로 기술수준이 높고 국방가용자원이 풍부한 국가는 대부분의 무기를 국내개발에 의해 획득하고 기술과 자본이 부족한 후진국의 경우에는 해외구매와 공동생산에 의존하며 기술수준은 높으나 자본이 비교적 적은 국가는 조립생산에 의해서 무기를 개발 및 생산한다. 해외구매를 통한 무기체계 획득은 단시간 내에 전력화목표를 달성할 수 있으나 기술축적의 기회상실로 인한 국방과학기술의 발전을 저해하여 가격협상시 불이익을 감수해야 하고 기술 및 경제적 파급효과를 기대할 수 없다. 또한 수리부속비의 비중이 점차 증가하게 되며 군수지원면에서 어려움이 가중하게 된다. 따라서 해외구매의 경우에는 군수지원의 지속성이 대단히 중요시되므로 무기구매시에는 무기체계 운영기간중 수리부속의 계속적인 확보 가능성과 운영유지의 비중을 반드시 고려하여야 한다. 과거 군원에 의존하던 시기에는 초기 투자비만을 생각하고 운영유지비를 충분히 고려하지 않음으로서 군원장비의 운영유지에 추가적으로 막대한 국방예산을 투입해야 하는 결과를 초래한바 있다. 아직까지 해외의존도가 약 45%를 점유하고 있는 우리의 여건에서 동일한 성능을 발휘하며 운영유지비가 적게드는 대안을 결정하기 위해서는 장비의 획득비에서부터 운영유지비까지 총유지비용 개념의 수명주기 비용분석이 절실히 요구되고 있다.

(4) 특성

무기체계의 수명주기는 무기체계의 개념형성 단계로부터 무기체계가 본래 부여받은 기능을 더 이상 효과적으로 수행할 수 없을 때, 즉 기술적 진부화, 수행할 작전 임무의 중대한 변화, 또는 오랜 기간 사용에 따른 마모로 기술적 기능을 발휘하지 못할 때까지를 의미한다. 그러나 수명주기의 종료시기를 정확히 예측하기란 대단히 어려우므로 통상 과거의 경험을 토대로 그 시기를 추정한다. 아래 표는 수명주기 비용을 무기체계 획득방법 및 발생 단계별로 나타낸 것이다.

획득방법 / 단계	연구개발생산	기술도입 생산	해외 구매
획득단계	연구개발 투자비	해외지불 투자비	장비획득 투자비
운영단계	운영유지비	운영유지비	운영유지비

수명주기비용은 미래에 소요될 비용들을 의미하므로 현 시점에서 그 비용을 예측하고, 분석하는데 반드시 많은 어려움이 따른다는 것은 명백한 사실이다.

특히 첨단 무기체계일수록, 기술의 진보가 빠를수록 예측비용과 실제비용의 차가 크게 발생할 가능성이 높으며 이러한 문제를 최대한 감소시키기 위해 보다 세분화되고 합리적인 수명주기비용 산출기법들이 개발되고 있는 추세이다.

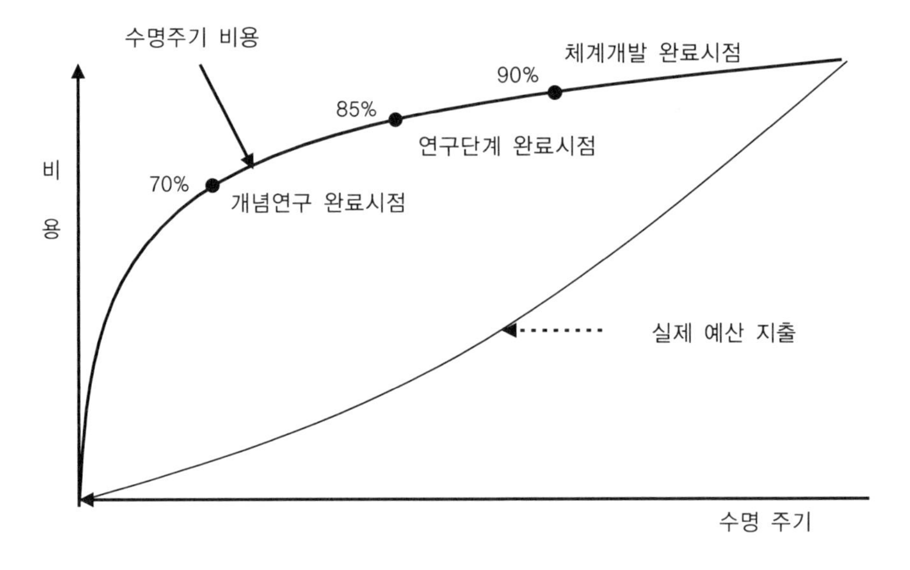

무기체계 획득단계별 수명주기비용 결정곡선

제2장
탄약 근무

Section 01

탄약 저장 시설

1. 개요

가. 저장시설의 조건(條件)

구매 및 청구에 의하여 물자가 납품 또는 수입되면 우선 그 물자를 어디에 저장할 것인가 하는 것과 어떻게 저장할 것인가 하는 것을 고려하여야 한다. 여기에서 전자는 저장장소를 선정하는 것이며 후자는 저장요령을 말하는 것이다.

저장시설에는 일반적으로 유개(옥내) 저장 공간과 무개(옥외) 저장 공간으로 구분할 수 있으며 종류에는 창고, 야적지, 지하저장고로 분류할 수 있다.

창고는 일명 유개 저장 공간이라고도 하며 지붕과 벽을 구비한 건물 형태의 저장 공간으로서 전형적인 창고는 차량 및 철도 적하대를 구비해야 한다.

창고에는 보편성 물자를 저장하고 그 특성, 용도에 따라서 다음과 같이 분류하며 일반적인 구비조건으로서는

(1) 야적창고를 제외한 모든 유개 창고는 누수가 되지 않아야 한다.

(2) 통풍구가 설치되어야 하며 통풍이 잘 되어야 한다.

(3) 장비출입이 가능한 공간이 있어야 하며 우천시 침수되지 않아야 한다.

(4) 창고 주위에는 배수가 잘 되어야 하며 바닥은 항상 건조 되어야 한다.

(5) 창고에는 현황판을 유지하여 재고파악이 용이하도록 한다.

(6) 창고에는 침목 및 파레트를 준비하여 저장물품을 침목이나 파레트 위에

저장토록 해야 한다.

(7) 창고지역에는 소방대책이 강구되어야 한다.

2. 저장창고의 종류(種類)

가. 일반창고(一般倉庫)

일반창고는 군에서 일반적으로 널리 사용되고 있는 창고로서 여러 종류의 보편성 물자를 저장하게 되며 지붕과 벽을 완비하고 있고 유개 저장 공간의 대부분을 차지하고 있으므로 보통창고라고 하면 일반창고를 말하게 되는데 물자의 수불이 신속히 이루어질 수 있도록 철도나 차도가 창고의 적하대와 연계되어 있어 물자의 적하작업이 대단히 용이하게 설계되어 있으며 이 창고를 표준형 창고라고도 한다.

나. 냉장창고(冷藏倉庫)

냉장창고는 부패 부식성 물자를 저장하는 창고로서 지붕과 벽 그리고 냉장시설을 완비하고 있다. 물자가 부패하는 것은 온도, 습기 양분의 3가지 구비조건이 성립되었을 때 일어나게 되는데 냉장창고는 온도를 냉각시켜 부패를 방지하게 된다.

다. 가연성 창고(可燃性 倉庫)

가연성 창고는 유류, 도료, 가스와 같은 고도의 가연성 물자를 저장하기 위한 창고로서 방화벽 및 소화시설을 완비하고 있다. 전형적인 가연성 창고는 방화벽에 의하여 2개 또는 그 이상의 구역으로 분할되며 일반창고에도 방화벽에 의하여 구역을 분할하고 보다 효율적인 화재예방 및 소화시설을 갖춘다면 얼마든지 가연성 창고로 사용할 수 있다. 가연성 창고의 벽에는 화재 확산을 방지하기 위하여 창문이 없는 것이 보통이나 창문을 설치할 경우에는 창문의 차폐 장치와 안전 간격을 철저히 유지하여야 한다.

(1) 방화벽

표준 방화벽은 4시간 이상의 내화력(27)을 가진 벽으로 구조는 자재의 종류에 따라서 벽의 단면이 철근 콘크리트인 것을 말한다.

(2) 비 가연성 물자

점화되지도 않고 연소되지도 않는 물자로서 예를 들면 철재 류가 이에 해당 한다.

(3) 저 가연성 물자

저 가연성 물자는 물품 자체로서는 쉽게 점화되지 않으나 다른 물자와 결합하여 연료화 되는 것으로서 예를 들면 목재류가 이에 해당한다.

(4) 온건 가연성 물자

물자의 성질상 점화와 연소가 용이한 것으로서 예를 들면 솜, 종이 등이 이에 해당한다.

(5) 위험성 물자

점화가 고도로 민감하여 발화되면 빠른 속도로 연소하는 인화성 물자로서 예를 들면 유류, 도료, 가스 등이며 가연성 창고에 저장되는 물자는 주로 위험성 물자에 해당된다.

(27) **내화력**(耐火力) : 불에 타거나 깨지지 않고 잘 견디는 정도

라. 탄약고(彈藥庫)

탄약이나 폭발물을 저장하기 위한 창고로서 그 형태에 따라 지상형 탄약고와 이그루형(28) 탄약고로 나뉘어 진다.

(1) 지상형 탄약고

지상형 탄약고는 저장물자 성질에 따라 내화 자재로 건축되는데 보통 시멘트 블록 벽과 콘크리트 바닥 및 스레트 또는 경금속 재질의 지붕으로 구조되어 있으며 구조물의 특성상 양호한 통풍으로 습기발생을 억제할 수 있는 장점이 있는 반면 화재 및 파편의 위험과 계절별 일정온도 유지가 곤란하여 저장온도 차이 범위가 큰 것을 단점이라 할 수 있다.

지상형 탄약고

(2) 이그루형 탄약고

지붕과 전, 후, 좌, 우 모든 면이 철근 콘크리트 구조이며 외부 지붕면은

(28) Igroo : 에스키모인의 가옥구조(얼음집 : 탄약고 내부의 반원형 구조를 의미)

흙으로서 적절한 두께의 복토가 되어 있으며 탄약고 내 통풍을 위하여 적절한 통풍장치가 되어있는 탄약고로서 사계절 내부온도의 차가 크게 발생하지 않아 탄약을 저장하기 용이한 장점이 있는 반면 통풍의 제한으로 습기가 많이 발생하는 단점을 포함하고 있는 탄약고이다.

이그루형 탄약고

마. 야적지(野積地)

물자를 야적하여 두는 곳을 옥외저장고 또는 야적지라로 한다. 야적 할 수 있는 물자는 타이어, 전주 등과 같이 기후의 영향을 비교적 받지 않는 물자이다. 물자를 옥외에 저장할 때에는 저장위치의 토질이 검토되어야 한다. 땅이 모래 섞인 토질이어서 굳고 딱딱할 때에는 땅위에 직접 침목을 설치하고 그 위에 물자를 적재할 수 있으나 진흙 토질인 땅에는 우선 철깔판을 설치하고 그 위에 침목 또는 파레트를 설치한 후에 물자를 퇴적하여야 한다. 야적지의 장점은 첫째 시설이 용이하고 경제적이며, 둘째 대기저장에 유리한 대형 중량급 물자의 저장이 가능한 반면, 단점으로는 야외에 노출된 상태이기 때문에 경계소요가 발생하며, 셋째로 저장품의 변질이 쉽게 될 우려가 있고, 넷째 물자취급 장비 운용이 불편한 점이 있다.

야적지

3. 탄약고 구비조건(具備條件)

저장시설의 종류 중 군에서 운용하는 모든 탄약고에는 자연적인 영향력으로부터 저장중인 탄약을 보호하기 위해, 화재발생을 억제 및 확산을 방지하고, 습기에 의한 화학적인 변화를 최소화하기 위해 또는 탄약의 취급 및 수령과 불출을 용이하게 하기 위해 여러 가지 부수 시설을 갖추어야 한다.

가. 피뢰침(避雷針)

저장 중인 탄약이 낙뢰로부터 보호하고 피해확산을 방지하기 위해 모든 탄약고에는 피뢰침을 설치해야 하며 이러한 피뢰침은 연 1회 이상 피뢰침 접지시험기로 접지저항시험을 실시하여 10Ω 이상이면 불합격으로 판정, 피뢰침 보수를 실시해야 한다.

(1) 피뢰침의 종류(種類)

(가) 돌침형

가장 일반적으로 설치, 사용되고 있는 방식으로 건물의제일 높은 곳에 돌침을 설치하는 방식으로 보통 이그루형 탄약고에 설치되어 있으며 유도단자, 유도선 및 접지전극(동판, 동봉)으로 구성되어 있다.

돌침형 피뢰침

(나) 가공 지선형

탄약고 지붕 용마루를 연해서 수평도체를 설치, 낙뢰를 흡인하여 대지 간에 연결된 접지선을 통해 낙뢰를 대지로 방류하는 방식으로 돌침형에 비해 저항측정이 용이하고 낙뢰 보호범위가 증가되는 장점이 있으며 대부분 지상형 탄약고에 설치되어 있다.

가공지선형 피뢰침

(다) 이온 방사형

낙뢰현상 발생 시 공중으로 이온을 방사하여 낙뢰를 흡인, 대지로 방류시키는 방식으로 넓은 지역을 보호하는데 용이한 피뢰침으로 주로 하화장 등에 설치하여 사용하는 피뢰침이다.

이온방사형 피뢰침

(2) 피뢰침 관리(管理)

(가) 피뢰침 지지대 견고성 유지
(나) 피뢰침 유도선의 나선 유무확인
(다) 피뢰침 접지 단자함의 양호한 상태유지
(라) 규정 접지저항 이내 유지노력(피뢰침이력카드 유지)

(3) 피뢰침 점검(點檢) 및 보수(補修)

(가) 피뢰침 점검

설치된 피뢰침은 연 1회 우기 전에 검사(접지저항 시험)를 실시하여 기능발휘 가능여부를 판단하여야 하며 점검사항으로서는 피뢰침 접지시험기를 이용한 공중유도단자 - 유도선 - 접지전극의 연결 상태 및 외관상태에 대한 육안검사를 실시해야 한다.

(나) 피뢰침 보수

피뢰침 점검결과 외관상 이상 유, 무 및 접지저항 측정결과 기준(10

Ω)을 초과하여 측정이 되었을 경우 해당 피뢰침은 저항치가 10Ω 이하로 하기위하여 적절한 보수를 실시해야 한다. 이런 경우 피뢰침의 보수방법으로서 먼저 추가적인 동봉 매설과 동봉을 깊은 곳에 매설하여 측정되는 저항 값의 감소를 유도하여야 하며 사용되는 모든 자재는 정격품을 사용하여야 하고 피뢰침 점검 및 보수결과를 피뢰침 이력카드에 기록 유지하여야 한다.

나. 소화기(消火器)

화재 시 소화 목적으로 일정 용기에 소화 약제를 충전하여 제작한 기구를 말하며 모든 시설물 및 장비에는 화재 발생시를 대비하여 소화기를 비치하여야 한다.

(1) 소화원리

소화란 가연물이 연소할 수 있는 조건을 물리적이나 화학적인 방법으로 전부 또는 일부를 제거하여 줌으로써 연소조건을 이루고 있는 요인을 제거하여 불을 꺼지게 하는 것이다.

(가) 소화의 3요소

1) 연료(가연물)를 제거 또는 파괴(破壞)
2) 산소의 공급원을 차단하여 소화하는 질식(窒息)
3) 점화온도(화염)를 인화점 이하로 냉각(冷却)

(나) 소화방법

1) 냉각 소화법

주로 물을 많이 사용한다. 물이나 불연성 액체를 이용하여 냉각시키되 분무로 물을 뿌렸을 경우에는 그 효과가 크다. 소화약제는 양에 관계없이 냉각효과가 있다.

2) 질식 소화법

연소조건에 해당하는 산소의 공급을 차단하는 소화방법으로 불연성 포말이나 불연성 기체 또는 고체로 연소물을 피복하는 소화법이다.

3) 제기 소화법

가스의 주 밸브를 잠근다든가 산림화재 시 연소방향의 수목을 잘라 가연물을 제거함으로써 연소물체 자체를 차단하는 소화법이다.

4) 희석 소화법

공기 중의 산소농도를 CO_2 가스로 엷게 한다든가 수용중인 알콜이나 아세톤과 같은 가연성 액체를 물로 섞어서 약하게 하므로 가연성 가스와 산소농도가 가연물의 조성을 연소한계점 보다 엷게 하여 소화하는 방법을 말한다.

(2) 화재의 구분(區分)

화재는 화재원인 및 가연성 물질의 종류에 따라 다음과 같이 구분할 수 있다.

(가) 일반화재(A급 화재)

종이류, 면직류, 목재류 등 불이 타고 난 후 재를 남기는 화재

(나) 유류화재(B급 화재)

유류, 가스, 구리스, 페인트 등 불이 타고 난 후 재만 남는 화재

(다) 전기화재(C급 화재)

모터, 두꺼비집, 전선, 전기 용구 등 주로 전기시설 등에서 발생하는 화재

(라) 금속화재(D급 화재)

금속류 및 폭발물 등에서 발생하는 화재

(3) 소화기 종류(種類) 및 사용방법(使用方法)

(가) ABC 분말소화기

ABC 분말소화기는 군 표준 품으로 제 인산암모늄이 들어있는 것과 중탄산나트륨이 들어있는 소화기로 구분되고 2.5형, 10형. 150형이 있으며, 기지 및 사무실, 공장, 유류고, 탄약고, 전기 등 A, B, C, D급 화재에 공통적으로 사용된다.

1) 사용방법

소화기 용기 측면에 고정되어 있는 분사호스를 빼어 화원을 향한 다음 안전핀을 뽑고 손잡이와 분사 레바를 동시에 힘껏 움켜쥐면 소화약제가 분사되며, 대형(150형) 소화기는 먼저 사용하기 편리한 만큼 호스를 몸체에서 풀어놓고 용기 상부에 있는 가스밸브를 개방한 후 호스 끝 부분의 노즐 레바를 개방시키면 소화약제가 분사되어 화재를 진화시킬 수 있다. 이때 주의할 사항으로 바람을 등지고 사용하고 화원에 소화약제가 골고루 분사될 수 있도록 비로 쓸 듯이 좌우로 흔들어 주면서 분사시키는 것이 무엇보다 중요하다고 할 수 있다.

10형 소화기

150형 소화기

(나) 이산화탄소 소화기

2.5형, 5형, 10형 등이 있으며 정비 및 생산 공장, 보일러실, 유류고, 탄약고 및 배전시설 등 B, C, D급 화재에 사용되며 사용방법은

분말소화기와 동일하다.

(4) 소화기 점검(點檢)

<table>
<tr><th colspan="3">점검 항목</th><th>점검 내용</th><th>비고</th></tr>
<tr><td colspan="3">표시 및 표지</td><td>- 부착된 설명의 손상여부
- 점검표부착 및 점검여부</td><td>- 외관검사 : 월 1회
- 기능검사 : 년 1회</td></tr>
<tr><td rowspan="9">소화기 본체</td><td colspan="2">용기 본체</td><td>- 소화약제 누출, 변형여부</td><td rowspan="4">축압식 소화기는 압력 게이지의 압력 확인, 바늘 위치가 황색 부분에 있으면 재충전요</td></tr>
<tr><td colspan="2">안전 장치</td><td>- 안전핀 망실 및 손상여부</td></tr>
<tr><td colspan="2">봉인 상태</td><td>- 봉인납 상태 및 적절성</td></tr>
<tr><td colspan="2">레바 부위</td><td>- 변형, 손상, 고정여부</td></tr>
<tr><td colspan="2">호스/노즐</td><td>- 변형, 손상, 노후, 막힘이 없고 본체와 연결여부</td><td>호스 내부에 분말 누출 흔적이 있으면 가스용기 파손여부 확인</td></tr>
<tr><td rowspan="4">150형</td><td>압력계</td><td>- 변형, 적정압력 유지여부</td><td rowspan="4">축압식 소화기는 압력 게이지의 압력 확인, 바늘 위치가 황색 부분에 있으면 재충전요</td></tr>
<tr><td>밸 브</td><td>- 변형, 손상, 봉인 적절성</td></tr>
<tr><td>바 퀴</td><td>- 변형, 손상, 정상회전여부</td></tr>
<tr><td>동 관</td><td>- 변형, 손상, 정상부착여부</td></tr>
</table>

다. 방벽(防壁)

탄약고 주변에 적절히 구축된 인공 및 자연적인 방벽은 폭풍압력 및 고속 저각도로 비산하는 파편으로부터 인명과 재산을 보호하는 효과적인 수단이 된다.

(1) 요구조건

(가) 방벽은 보호하려는 시설물과 위험을 내포한 시설물로부터 적절히 이격되어야 한다. 탄약고와 방벽 간 거리는 취급 및 정비를 수행할 수

있는 적정거리를 초과해서는 안 되며 가능한 가까이(1.2m) 유지하는 것이 바람직하다.

(나) 방벽에는 자연적 방벽과 자연 경사면을 이용한 인공적 흙 방벽, 목재 또는 콘크리트 피복방벽 등이 있으며 방벽 상부 폭은 91cm 정도로 이루어져야 하고 방벽의 경사는 수평 대 수직 비율을 2 : 1 경사를 적용 완만한 경사를 유지하는 것이 바람직하다.

(다) 방벽의 높이는 탄약고 내 퇴적의 높이 보다는 30cm 이상 높게 설치하며, 방벽의 길이 또한 퇴적의 폭보다 양쪽 끝을 91cm 만큼씩 연장하여 구축하는 것이 적절한 규격이라 할 수 있다.

(라) 방벽을 구축하는데 쓰이는 흙은 적당한 응집력이 있어야 하며 직경이 큰돌들이 포함되어서는 안 되며 주기적인 점검을 실시해야 한다.

(2) 방벽 관리방법

(가) 침하지역 복토 및 다짐작업 실시(필요시 말목설치)

(나) 잔디 고사지역은 잔지식재 및 토질교체

(다) 우기 시 붕괴 예상지역은 비닐덮개 사용 및 사방공사 소요제기

(라) 지속적인 관심 및 관리

방벽

라. 방화지대(放火地帶)

탄약고와 주변 수풀지역 간 화재확산을 방지하기 위해 초목이나 기타 가연성물질을 사전 제거하는 지역으로 탄약고 외부 벽을 기준으로 반경 17m에 걸쳐 방화지대를 구축한다.

(1) 방화지대 관리

저장지역 및 인접지역 내의 초목관리는 다음사항을 고려하는 것이 바람직하다.

(가) 초목관리의 주목적은 연소성 초목이 저장 중인 물자에 화재의 위험을 초래할 가능성을 제한하기 위한 것이다. 긴 건초나 풀, 죽은 나무와 같은 연소성 물질의 제거는 초목 화재의 확산을 줄이기 위한 것이다.

(나) 방화지대를 제외하고 저장지역 또는 장소 내부 또는 부근의 지면은 개간하지 않은 토지처럼 유지하는 것이 좋다. 이러한 관리는 자연자원의 유실을 방지하고 화재를 예방하거나 억제하는 수준으로 제한하는 수준, 즉 지나친 관리를 하지 않는 것이 좋다.

방화지대

(다) 저장시설의 피토 지역에 심은 관목 및 수목은 그 중량이나 뿌리 생태가 구조물에 손상을 주지 않도록 선정하는 것이 좋으며 고사목을 쌓아두면 안 된다.

(라) 침식을 방지하는데 초목의 성장이 효과가 없을 경우에는 약 5cm 두께의 콘크리트나 아스팔트 혼합물을 사용한다.

마. 기타 부수시설

(1) 분리벽(分離壁)

탄약고, 검사장 및 정비공장 등 동일 탄약 취급 건물 내에 한 칸에서 폭발사고가 발생하였을 때 인접공간의 동시폭발을 방지하기 위해 설치한 벽이다.

(2) 배수로(排水路)

탄약고에 물이 스며들거나 습기가 차면 저장 중인 탄약이 변질되기 쉽다. 따라서, 탄약고 주위에는 배수로를 탄약고 바닥보다 낮게 설치함으로써 이를 방지할 수 있다.

(3) 적하대(積荷帶)

도로보다 높은 위치에 있는 탄약고에는 탄약을 차량에 용이하게 적재하기 위해서 적하대를 설치할 필요가 있다. 적하대는 견고해야 하며 차량의 적재함 높이와 동일하도록 하는 것이 좋다.

(4) 지게차 진입로(進入路)

적하대가 설치된 탄약고에는 지게차의 용이한 출입을 위한 완만한 경사를 유지하는 진입로를 적하대 측면에 설치해야 한다.

(5) 각종 부착물

탄약고 외부 벽에는 저장중인 탄약의 위험내용과 화재 발생 시 즉각적인 대책을 식별할 수 있는 각종 기호판을 게시하여야 한다.

4. 탄약고 관리(彈藥庫 管理)

가. 탄약고 관리

효과적인 탄약고 관리 및 정확한 재고관리를 위해서 모든 탄약고는 탄약고 관리책임자를 임명, 운용해야 하며, 다음과 같은 사항을 주기적으로 점검하여야 한다.

(1) 책임 탄약고의 탄약에 대한 수령과 불출
(2) 재고 탄약에 대한 상태 및 수량의 일일점검
(3) 탄약고 관리(소규모 보수, 청소)
(4) 탄약고 구비조건 관련시설 보수, 유지
(5) 탄약고 기록서류에 대한 최신현황 수정유지
(6) 피뢰침은 연 1회 이상 접지저항시험 실시
(7) 탄약고 열쇠는 철저한 통제하에 관리

나. 개소별 관리방법

(1) 탄약고 지붕

(가) 파손 및 노후 된 지붕 보수 및 교체
(나) 우천 시 못 구멍에 의한 누수방지 및 불필요 활동금지
(다) 강판 지붕 녹 발생 시 제청 재 도색
(라) 피토층 유실방지 및 제초작업

(2) 탄약고 출입문

(가) 출입문의 원활한 개폐를 위한 상, 하단 로라 주유

(나) 출입문 및 상부 지지대 처짐 방지를 위해 볼트조정

(다) 자물쇠 녹 방지를 위한 주유 및 덮개설치

(3) 지역 내 도로

(가) 노견지역은 포장의 높이와 일치토록 흙, 자갈, 모래 등으로 보강

(나) 도로 붕괴 예상지역 사전파악 및 조치

1) 붕괴 방지를 위한 축대 및 말목 설치

2) 고사 잔디 이식 또는 우기 시 비닐 설치

3) 배수로 통과지역 토관 설치 및 토사제거

4) 성토, 절토 지역 도로는 유실방지 대책강구

5) 도로변 가로수 가지치기 및 제초작업으로 안전 위해 요소제거

다. 탄약고 비치서류(備置書類)

(1) 탄약고 비치서류

탄약이 저장된 탄약고에는 아래 서류들을 작성하여 비치해야 한다.

(가) 저장도표(貯藏圖表)

탄약고 내 저장된 탄약의 배치 축척도면과 탄약고 면적에 대한 저장 공간 사용현황 및 저장 탄약의 제원 등 총괄적인 재고현황으로 구성되며 작성하여 탄약고 및 탄약관리 사무실에 비치하여 탄약의 저장 계획을 수립할 경우 사용한다.

(나) 탄약고 제원(諸元)카드

탄약고 내 저장된 탄약의 퇴적마다 작성하는 서류로서 퇴적의 저장 제원과 재고변동현황을 기록 유지하는 서류이다.

(다) 탄약고 플래카드

탄약 저장 및 관리 업무를 수행하는 모든 인원이 안전한 관리를 위해 준수해야 하는 안전 및 지시사항으로 탄약고 출입 및 관리인원이 쉽게 식별할 수 있는 곳에 게시한다.

※ 각종양식 : 부록 #2 참조

Section 02 저장 방법

1. 개요

가. 저장 공간 설계(設計)

저장운용에 있어서 가장 기본적인 자원은 물자를 저장하기 위한 저장 공간으로서 저장 공간 설계라 함은 이러한 저장 공간을 최대한 활용하기 위한 저장 공간 사용계획을 뜻하는 것으로서 이와 같은 공간설계는 계획적이고 세밀하게 작성, 운용되어야 한다.

나. 공간설계 목적(目的)

(1) 공간의 최대 활용

바닥만을 점유하는 수평 공간뿐만 아니라 적당한 높이까지 쌓아 올리는 수직공간의 활용까지를 포함하는 것이며, 통로의 넓이는 물자 취급 장비 운용에 필요한 규모로 제한하고 소량물품과 대량물품의 저장간격을 가능한 한 분리시켜야 한다.

(2) 통로의 준비

통로란 저장공간 운용에 필요한 각종 통로를 말하는 것으로 이와 같은 통로는 수불작업은 물론 저장검사나 재물조사 등 저장업무를 능률적으로 수행하는 데 필수요소가 된다. 따라서, 통로는 수불작업에 편리하고 물자 취급 장비 운행이 가능하도록 적절한 폭이 유지되어야 한다.

(3) 운용비의 절감

모든 저장작업은 최초에 수립된 공간설계에 의하여 끝까지 추진되어야 한다. 저장작업 중 계획을 변경하거나 또는 저장중인 물자의 저장위치를 변경하는 것은 운용비와 시간 및 노력의 낭비만을 가져오기 때문에 절대로 금지되어야 한다. 만약 부득이한 경우 저장위치를 변경해야 하거나 재적 및 이관작업을 할 필요성이 있을 때는 저장물자의 수불과정에서 이루어질 수 있도록 해야 한다. 따라서, 운용비와 시간 및 노력을 절감하기 위해서는 최초에 확고한 공간 설계를 해야 한다.

(4) 저장물자의 최대보호

저장물자는 항상 입고 당시의 사용 가능상태를 유지해야 한다. 만약에 저장물자가 손상되거나 변질 및 악화되어 버린다면 저장은 무의미할 뿐 아니라 막대한 국고의 손실을 초래하게 된다. 따라서 공간설계는 기후의 변화, 해충이나 쥐의 피해, 무리한 취급, 충격, 화재, 도난 등 각종의 피해로부터 저장 물자를 보호할 수 있도록 설계되어야 한다.

다. 저장 공간 소요산정(所要算定) 시 고려사항

(1) 재물의 수량

저장물자는 항상 수불 행위로 인하여 유동적이기 때문에 물자 종류별로 최대저장량과 최소저장량이 어느 정도인가를 파악해야 한다.

(2) 저장시설의 특성

저장시설의 특성으로는 수평 공간뿐만 아니라 수직 공간도 중요하기 때문에 창고의 넓이, 천정의 높이를 고려해야 하며, 기타 저장시설의 제반 구조상 특성을 고려해야 한다.

(3) 장비의 능력

저장 공간의 특성에 따라 허용된 저장가능 높이까지 퇴적이나 무거운 물자의 운반 등에 가용한 물자 취급 장비의 능력을 고려해야 한다.

(4) 물품의 특성

저장될 물자의 형태, 중량, 중요도 및 속성 등은 저장 공간 소요에 영향을 미치므로 이러한 물품의 특성이 고려되어야 한다.

(5) 비 저장 공간 및 운영 손실 공간

총 저장 공간에 포함되나 실제 물자 저장이 불가능하거나 저장 운영상 불가피하게 손실되는 각종 공간이 고려되어야 한다.

(6) 충분한 저장 공간

여유 공간을 확보하여 두는 것이 저장 운용상 필요하며 이러한 여유 공간을 확보함으로써 물자 수불행위가 있을 때마다 빈번한 재고 위치의 변경을 할 필요가 있다.

2. 저장 기본방법

가. 저장 공간(空間)의 구분(區分)

(1) 총 저장 공간

보급품을 저장할 수 있는 시설내의 전 공간 또는 야적공간의 지역이다.

(2) 비 저장 공간

저장 공간 내부에 설치되어 있지만 실제 물자 저장이 불가능한 저장 공간을 말한다. 예를 들면 창고, 사무실, 휴게실, 기둥 등이 점유하고 있는 공간 등이다.

(3) 저장 가용 공간

물자저장이 가능한 공간을 뜻하며, 즉 전체 저장 운용 공간에서 비 저장 공간을 제외한 공간을 말한다.

(4) 운영 손실 공간

저장 공간 운용상(수불행위, 재물조사, 저장 중 정비 등) 부득이한 손실 공간으로서, 예를 들면 통로라든가 퇴적 및 벽 간격 등이 점유하고 있는 공간 등이다.

(5) 순 저장 공간

실제로 물자를 저장할 수 있는 공간으로서, 저장 가용 공간에서 운영 손실 공간을 제외한 공간을 말한다.

(6) 순 점유 공간

순 저장 공간 중 실제로 물자가 저장되어 점유하고 있는 공간으로, 순 저장 공간에서 빈 저장공간을 제외한 공간을 말한다.

(7) 빈 저장 공간

순 저장 공간에서 순 점유 공간을 제외한 공간으로서 추가적으로 물자를 저장할 수 있는 공간을 말한다.

나. 통로(通路) 유지

저장 공간을 설계하는데 있어서 중요한 요소는 통로를 어떻게 설치할 것인가 하는 문제이다. 통로는 저장간격의 규격을 정리하여 수직 및 수평공간의 효율적인 활용을 가능케 하고 각 품목의 접근로가 되며 또한 물자 취급 장비를 효과적으로 운행함으로써 작업능률을 올릴 수 있고 따라서 저장 물자를 최대한으로 보호할 수 가 있다. 이와 같은 통로는 통상 다음과 같은 4개의 통로를 설치하게 된다.

(1) 주 통로

저장 공간 내에서 주로 많이 사용하는 통로로서 출입문을 연결하는 통로 또는 출입문에 연한 통로를 말한다. 이와 같은 주 통로의 폭은 물자 취급 장비의 규격에 따라 달라지나 통상 검사 및 재물조사 실시를 고려 유지하게 된다.

(2) 횡 통로

주 통로와 수직을 이루는 통로를 말하며, 횡 통로의 넓이도 물자 취급 장비의 규격에 따라 달라지나 검사 및 재물조사 실시를 고려 유지하게 된다.

(3) 임시통로

근무 통로 또는 인원통로라고도 하는데 인원의 보행으로서만 이용되는 통로로서, 이는 창고내의 소량품목의 저장 및 불출, 재물조사, 저장 중 정비 등을 위하여 설치된다.

(4) 비상통로

화재통로 또는 안전통로라고도 하며 화재나 습기의 피해를 최소한으로 줄이기 위한 안전간격 유지 또는 화재발생 등 비상시에 소화 작업, 대피, 구조물 이용 등 비상시나 안전에 대비하기 위하여 설치되는 통로로서 창고의 주위나 방화벽, 방화문의 주위에 연하여 설치된다. 비상통로의 넓이는 공간 활용 상 0.6m 넓이로 제한한다.

다. 저장 방향(方向)

저장방향은 물자를 퇴적해 나가는 방향을 말하며 이와 같은 저장방향을 설정하게 되는 이유는 물자취급 장비와 퇴적 보조장구를 효과적으로 활용할 수 있고 불필요한 통로설치 방지 및 저장 공간을 최대한으로 이용할 수 있으며 선입선출제도를 적용하여 장기간 저장으로 인한 질 저하를 방지하는데 있다.

라. 탄약저장 기본방법(基本方法)

① 모든 탄약은 탄약고 내에 저장 시 탄종별, LOT별, 상태별로 구분저장하여야 한다.

· 탄종 구분 : 사용부대, 적용 장비 구분

· LOT 구분 : 생산년도 구분, 재고 관리 용이

· 상태 구분 : 사용목적 및 한계 구분

② 탄약고 내 퇴적의 높이는 지붕, 천정 및 벽으로부터 통풍여건을 조성할 수 있는 45㎝ 이격되어야 하며 출입문과 연하는 주 통로를 유지하여야 한다.

③ 탄약을 퇴적 시 침목 및 파레트를 사용하고 퇴적 주위에는 검사, 재물조사 및 취급을 위한 통로가 유지되어야 하며 퇴적 시 저장 공간 활용 및 취급의 편의를 위해 벽 쪽에서 시작하여 중앙 통로 쪽으로 퇴적을 쌓는다.

④ 낱발 포장(29)은 안전하게 포장하고 규정된 표시를 하여 퇴적의 상단에

(29) 낱발포장(Light Box) : 한 포장 수량에 미달되게 포장된 단위

위치시키고 포장이 개봉된 상태에서 탄약이 저장되어서는 안 되며, 탄약고 내에 기름걸레, 페인트, 기타 가연성 물질을 보관해서는 안 된다.

⑤ 탄약의 야적(野積)은 바람직한 저장방법이 아니다. 그러나 비상시에는 활용할 수 있는데 야적 시 모든 탄약은 비 가연성 또는 내화성 방수포로 덮고 퇴적 상단과 덮개 사이는 통풍을 위한 일정 공간을 유지하여야 한다.

⑥ 통풍이 잘 되지 않는 대 퇴적 및 장기 저장탄약은 탄약고의 상태 및 저장여건에 따라 필요 시 균등한 저장조건(환경)을 조성하여 탄약의 화학적인 변화를 예방하기 위해 치환(置換)작업을 실시하여야 한다.

⑦ 소 LOT[30]탄약은 동일 탄종 수개 LOT 크기가 한 파레트 미만일 경우 1개 퇴적으로 통합 저장하는 방법과 소 LOT탄약 저장대를 이용 저장하는 방법을 병행할 수 있다.

소 LOT 저장대

(30) 소 LOT : 1개 LOT가 100발 미만의 중구경 탄약 또는 1,000발 미만의 소구경 탄약

3. 퇴적방법(堆積方法)

가. 퇴적 시 고려사항

탄약의 퇴적은 탄약 저장에 있어서 가장 중요한 요소의 하나이다. 탄약 퇴적을 위해 기본적으로 고려할 사항은 다음과 같다.

① 적절한 저장 위치선정

② 저장위치에 침목 및 파레트 사용

③ 퇴적의 적절한 형태 결정

④ 퇴적의 적절한 높이 결정

나. 탄약고 바닥

이는 퇴적이 쌓이게 되는 실질적인 지면을 말하는 것으로서 그 바닥은 콘크리트 포장이 되어야 하며 그러한 바닥은 여하한 기후나 기상의 악조건 하에서도 퇴적의 중량을 감당할 수 있어야 한다. 만일 지반이 이러한 기능을 구비하지 못할 경우에는 퇴적의 바닥으로 적합하지 않으며 이러한 바닥 위에 퇴적되는 탄약은 곧 무너지기 쉽다는 것을 고려해야 한다. 이러한 탄약고 바닥(위치) 선정 시 탄약의 중량을 고려한 바닥의 견고성, 우천에 대비한 배수의 용이성, 신속한 취급 및 수령과 불출을 고려한 평탄한 지면 및 여하한 기상적인 조건에도 견딜 수 있는 내구성 같은 사항이 고려되어야 한다.

다. 침목 및 쫄대 사용

(1) 탄약저장 시에는 퇴적을 지지하기 위해 사용하는 침목(파레트)를 적절히 설치함으로써 퇴적의 변형을 예방하여야 한다. 퇴적의 견고성과 원활한 통풍 효과를 위해 지면과 퇴적의 바닥 사이에는 5cm 이상의 높이 침목(파레트)를 설치하여야 한다.

(2) 퇴적사이의 견고성 및 통풍을 위해서도 적절한 조치를 취해야 하는데 그렇게 하기 위해서 퇴적 시 탄약상자 매 층과 층 사이에 2.5cm×5cm 정도 규격의 쫄대[31]를 설치를 하는데 크리트(올림목)[32]가 부착되어 있는 탄약상자들은 부착된 크리트 자체가 쫄대로서 기능을 수행함으로써 퇴적층 사이의 통풍을 가능하게 하기 때문에 매 층과 층 사이에 쫄대를 설치할 필요가 없으나 3~4층마다 규격 된 쫄대를 크리트 위에 한 번 더 적절히 보완 설치해줌으로써 퇴적의 견고성을 유지할 수 있다.

라. 퇴적의 형태(形態)

(1) 퇴적형태 결정요소

모든 퇴적은 이동시키거나 위로 올라가지 않아도 상자의 표기를 읽을 수 있도록 되어야 하며, 통상 한 퇴적에는 동일한 로트 번호 탄약만을 저장하게 된다. 이러한 탄약 퇴적의 형태는 다음과 같은 요소에 의하여 결정이 된다.

(가) 탄약 포장용기의 모양과 크기
(나) 탄약고의 종류 : 내부구조 고려
(다) 가용 공간 고려 최대 저장량
(라) 야적 시 위장의 용이성

(2) 퇴적의 형태

(가) 브로크 형

모든 상자 포장탄약의 기본 퇴적형태로서 브로크나 벽돌을 쌓듯이 반듯하게 퇴적하며 침목과 쫄대를 설치하여 퇴적한다.

(31) **쫄대** : 탄약 퇴적 간 사용되는 일정규격의 목재로서 상자와 상자 사이의 통풍유도 및 퇴적의 견고성 유지를 위해 사용됨.

(32) 올림목 : 쫄대의 기능을 위해 탄약상자 상단에 부착된 목재

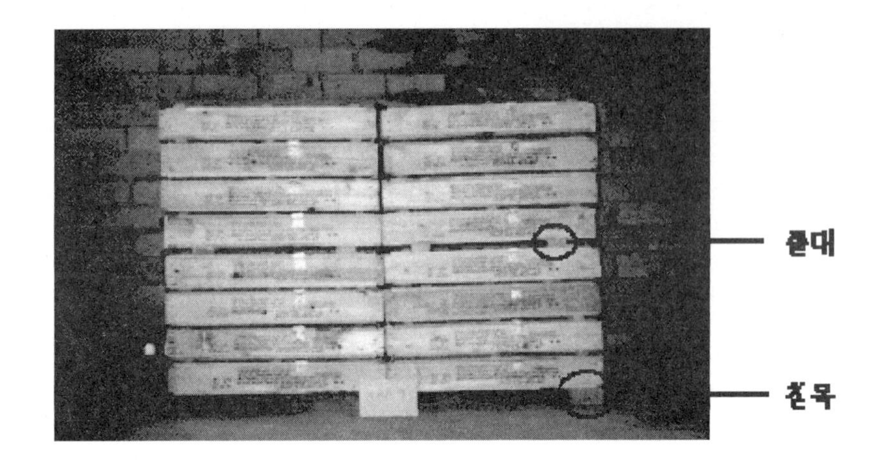

브로크형

(나) 세워쌓기

분리장전식 탄두 및 백린연막탄약을 저장 시 적용하며 침목과 쫄대를 사용한다.

세워쌓기

(다) 눕혀 쌓기

분리장전식 추진장약통을 저장 시 적용하며 침목과 쫄대를 사용한다.

눕혀 쌓기

마. 퇴적의 높이

퇴적의 높이는 포장의 규격과 무게, 가용한 저장 공간, 양거리(33) 및 사용 가능한 취급 장비에 의하여 결정된다. 만일 인원에 의해 퇴적을 쌓을 때는 취급의 용이성과 안전을 고려하여 퇴적의 높이를 사람의 어깨높이 정도로 하는 것이 적절하며, 취급 장비로 취급 시에는 취급 장비의 거양능력을 고려한 높이가 적절하다.

4. 탄종별(彈鍾別) 저장방법

가. 개량된 재래식 탄약(ICM)(34)

개량된 재래식 탄약은 일반 재래식 탄약과 분리해서 저장하고 지역 외곽에 저장하는 것이 바람직하다. 이는 내부 유탄이 탄두에서 방출될 경우 유탄의

(33) **양거리(量距離)** : 탄약고에 저장된 폭발물의 양에 따라 원래상태로 보호를 받아야 할 인접 대상물간 유지해야 하는 최소한의 안전거리를 말한다.

(34) **ICM**(Improved Conventional Munition)

활성화 및 저장지역의 피해확산을 최소로 줄이고 그 처리를 신속히 할 수 있도록 하기 위함이다.
따라서, 개량된 재래식 탄약의 특성을 고려하여 저장계획을 수립하고, 정비 및 기타 취급 시 사고방지를 위한 대책을 수립하여야 한다.

나. 추진장약

(1) 추진장약은 통풍이 잘 되고 건조한 탄약고에 저장해야 한다. 또한 추진장약 포장용기는 덮개나 뚜껑을 쉽게 검사 및 제거할 수 있도록 저장하여 탄약고 내에서 검사가 이루어지도록 하여야 하고 화학적인 변화(흡습)를 예방하기 위해 밀폐된 용기에 포장 저장하여야 한다.
(2) 추진장약은 사용하기 전까지 용기가 밀폐된 상태를 유지할 수 있도록 하는 것이 중요하다. 손상된 용기나 공기가 누출되는 용기는 추진장약을 검사하여 변질 여부를 반드시 확인해야 한다.
(3) 추진장약통 속의 추진장약은 보통 손상되기 전에는 개봉하지 않으며, 손상되었을 경우에는 추진장약을 사용 가능한 다른 용기로 옮겨야 하며 일반적으로 추진약통은 수리하지 않는다.

다. 고정 및 반 고정식 탄약

(1) 고정 및 반 고정식 탄약들은 어떠한 탄약고에 저장할 수 있으나, 화재나 폭발의 위험을 최소화시킬 수 있는 탄약고일 경우 더욱 바람직하다. 탄약고 바닥에서 발생되는 습기로부터 보호하고 상자 간 공기순환이 용이하도록 침목 및 쫄대를 사용해서 퇴적하는데 이러한 침목 및 쫄대는 퇴적의 견고성과 통풍여건을 조성하기 위해 사용되며, 보통 각각 지환통[35]에 포장한 후 다시 목재 탄약 상자로 포장을 하며 가급적 사용 전까지 상자

(35) **지환통**(Fiber Container) : 탄약의 포장재료, 기름종이 및 수지재질로서 주로 내부 포장재료로 사용됨.

의 포장을 개봉하지 않고 양호한 상태를 유지하는 것이 바람직하다.

(2) 각각의 탄약고에 한 가지 탄종을 집중 저장하는 것보다는 수 개의 탄약고에 서로 다른 탄종을 적절히 분산저장 하는 것이 좋은 저장방법이다. 예를 들어, 한 탄약고를 충분히 저장할 수 있는 정도의 90밀리 고폭탄과 다른 탄약고에 저장할 수 있는 충분한 양의 철갑탄을 보유하고 있을 경우 각각의 탄약고에 각 탄약을 분리저장 하는 것보다는 각 탄약고에 고폭탄과 철갑탄을 균형되게 분산저장 하는 것이 더 좋은 방법이다. 이렇게 했을 경우 한 탄약고가 피해를 입었을 경우에도 두 종류의 탄약 보급이 가능하기 때문이다.

라. 분리장전식 탄두

분리장전식 탄두는 이그루형 탄약고에 저장하는 것이 바람직하고, 탄두를 저장 시 탄구전 및 탄대 보호환을 결합하여 저장하여야 한다.

마. 로켓트 탄약

(1) 로켓트 탄약은 이그루형 탄약고의 문 쪽을 제외하고 방향에 관계없이 저장할 수 있으나, 지상형 탄약고에 저장할 경우에는 인원이나 재산상 피해를 최소화하기 위하여 탄두방향을 안전지대로 향하도록 하여 저장한다.

(2) 또한 직사광선이 닿지 않는 건조하고 온도유지가 잘 되는 탄약고 내에 저장한다. 로켓탄은 온도가 49℃를 초과하는 곳에 저장하면 안 된다. 이는 고온이나 저온에 장시간 노출하게 되면 정상적인 악화율이 더욱 높아지게 된다.

바. 사용불가(제한) 탄약

(1) 사용불가 탄약으로서 위험 또는 의심스럽지 않다고 판단되는 탄약은 사

용 가 탄약과 퇴적을 구분하고 사용불가 표시를 하여 동일 탄약고에 저장할 수 있다.

(2) 사용불가 탄약으로서 위험하거나 의심스럽다고 판단되는 탄약은 사용가 탄약과 동일 탄약고에 저장할 수 없으며, 처리탄 탄약고에 분리 저장 후 최단 시일 내에 처리하여야 한다.

5. 탄약 저장절차(貯藏節次)

탄약은 전, 평시 사용자에게 보급 시까지 사용 가능한 상태로 유지하기 위하여 저장 간 화학적, 물리적 변화를 최소화하여 정비소요발생을 예방하고 안정적인 저장관리를 위해 위험급수 양거리, 혼합저장 규정 등을 준수해야 저장 공간의 효율적인 운용과 신속한 탄약취급이 가능하게 된다. 따라서 탄약 저장 시 고려사항과 제반 절차에 대한 실무 요원들의 관심이 요구된다.

가. 저장절차

(가) 탄약 정보체계에서 탄약 수입예정 문서번호 및 내용을 확인한다.

(나) 확인된 사항을 저장계 및 검사과에 하송부대에 탄약 적송계획을 확인한다.

① 적송일자, 수송수단/규모, 구좌, DODIC, LOT-NO, 발수, 포장형태 등

(다) 지시 및 확인된 사항을 토대로 탄약 저장계획을 수립한다.

① 수입 대상탄약의 제원을 참고로 저장제원을 확인한다.

㉠ 위험급수, 폭약량, 혼합저장 그룹, LOT 크기 등

② 탄약고별 폭약량 제한표와 저장도표를 참고하여 저장 탄약고를 선정한다.

㉠ 폭약량 제한표의 제한요소 및 이격거리 등을 고려 기 판단된 급수

별 최대저장 가능량 중 가장 경제적으로 공간 활용이 가능한 위험 급수의 탄약고를 선정한다.

㉡ 폭약량 제한량을 고려 기존 저장량과 저장 대상탄약의 폭약량을 합산하여 제한량 초과여부를 확인한다.

㉢ 저장 대상탄약의 혼합저장 그룹을 분류 후 선정 탄약고에 저장된 탄종의 그룹과 혼합저장 허용도표를 이용 확인 후, 상호 혼합저장 가능 여부를 확인한다.

㉣ 저장 대상탄약의 포장형태(P/T/상자), LOT크기와, 탄약고 종류를 고려 빈 저장 공간에 전량 저장 가능여부를 확인한다.

㉤ 평시 운영용 탄약 불출의 용이성과 전시 적송 및 불출계획일자를 고려 퇴적의 위치를 선정함이 무엇보다 중요하다 할 수 있다.

(라) 수립된 탄약 저장계획을 지휘관의 결재 후, 탄약중대 지시 및 검사과에 통보한다.

① DODIC, LOT-NO, 상태별 구분 입고대상 탄약고 지정

② 탄약 저장계획의 타당성 검토 및 최적 안 선정

(마) 탄약 수입일정에 따라 수입계획을 수립, 시행준비 및 하달한다.

① 입고 탄약고, 입고 우선 순위, 인원, 장비 및 차량소요

㉠ 탄약 보급소 : 탄약 수입계획 작성 및 시행준비

㉡ 탄약창 : 탄약 수입계획 작성, 하달(운영과) 및 시행준비(중대)

(바) 탄약수입 1일전 임무분담 및 소요장비 및 차량의 배차 신청을 한다.

① 배차 신청 후 당일 16:00 이전 배차 결과를 확인해야 하며 부족 시 지휘 및 참모 보고를 통해 추가 배차를 실시한다.

② 투입 인원에 대한 명확한 임무분담과 절차 교육을 실시하고 1일전 필요 장구 및 공구류의 수량과 상태를 확인하며 부족분에 대한 조치 및 최종확인을 실시한다.

(사) 수입탄약이 도착하기 전 작업 내용별 안전교육을 전 인원을 대상으로 실시하며 작업 순서에 의한 인원, 장비, 차량 및 장구류를 배치하고 경계병과 소방차 및 소화기구 등을 위치시킨다.

(아) 탄약이 도착 시 하화전 차량 및 화차에 적재된 탄약과 수입예정 현황 및 적재 확인증의 제원과의 일치 여부를 수불계, 검사관 및 호송 책임

관의 입회하에 확인을 실시한다.

(자) 수입 탄약의 DODIC, LOT-NO, 상태 등 이상이 없을 시 차량 및 화차별 입고대상 탄약고 위치안내 및 작업순서에 따라 차량이동 및 하화를 실시하며 저장 간 오류 발생의 예방을 위해 다시 한번 DODIC, LOT-NO, 상태, 발수 등을 확인 후 지정 탄약고에 입고한다.

(차) 수입 작업 간 저장계, 검사관 및 책임중대 간부들을 통한 취급 안전통제를 실시, 탄약 취급 간 안전사고 발생을 적극 예방하여야 한다.

(카) 탄약고 내 탄약을 퇴적 시 아래와 같은 기본사항을 사전 고려해야 한다.

① 퇴적의 적절한 위치선정(공간, 양거리, 혼합저장그룹 등)

② 침목 및 쫄대 사용

③ 퇴적의 형태 결정

④ 퇴적의 높이 결정

(타) 탄약의 입고 완료 후 하송부대 송증확인 및 날인 조치를 실시하며 각 현장계는 탄약 저장도표 및 탄약고 제원카드를 최신 현황으로 수정, 비치시킨다.

① 저장도표 : 퇴적도면, 저장 공간 사용, 폭약량, 저장량, 급수/혼합저장 그룹, 탄약목록 현황 등₩

② 탄약고 제원카드 : 퇴적의 제원, 재고현황 수정)

(파) 탄약정보 체계[36] 내용을 통한 사후조치를 한다.

6. 탄약 저장관리(貯藏管理) 지침

탄약의 효율적인 관리 및 안전사고 예방을 위하여 전반적인 탄약관리에 대한 사항을 규정한 내용으로서 모든 탄약관리 관계관은 다음과 같은 사항에 대한 조치 및 확인의 책임이 있다.

(36) **탄약정보체계**(Ammunition Information System) : 탄약재고 통제 및 기술관리 제반 업무에 활용되는 전산체계

① 탄약고 관리 책임자 정, 부 임명
② 탄약고 열쇠의 특별관리
③ 승인된 인원 외 탄약고 출입통제
④ 탄약고 시설 보강 및 관리
⑤ 특별관리 대상탄약 선정 및 중점관리
⑥ 교육용 탄약의 수령 및 불출 절차
⑦ 탄약 일일결산 및 확인점검 체계 확립
⑧ 낱발 탄약 관리방법
⑨ 결손 탄약 발생 시 조치절차
⑩ 탄약상자 개봉 및 포장방법
⑪ 탄약고 경계 및 안전조치
⑫ 탄약고 및 저장지역 화재예방 대책
⑬ 불발 및 유기탄약 발생 시 조치절차

MEMO

제3장
저장 안전

Section 01 시설저장

1. 개요

가. 시설저장(施設貯藏)이란?

다량의 탄약을 저장관리하고 있는 탄약지원부대를 대상으로 탄약의 성능보존 뿐만 아니라 저장 간 안전성을 보장하기 위해 규정된 위험급수 양거리 및 혼합저장 규칙에 의해 탄약을 저장관리 하는 것을 말하며, 이에 따라 저장 및 취급 간 화재 및 폭발 시 피해를 최소화시킬 수 있다.

나. 폭발물 효과(效果)

모든 탄약이 폭발 시 주어진 상황과 관련된 위험을 평가할 경우에 고려해야 할 폭발에 따른 제반 효과는 폭풍압력, 직접 및 간접 파편과 열에 대한 위험이다.

폭발물 효과

(1) 폭풍(爆風) 효과

가스 매체에서의 폭발로부터 에너지의 급격한 방출은 그 매체내의 갑작스러운 압력의 증가를 가져온다. 폭풍파라고 불리는 압력의 변동은 주변의 압력으로부터 순간적으로 이루어진다. 이러한 압력의 증가 내지 충격전면은 항상 매체의 음속을 초과하는 속도로 사방으로 영향을 미친다.

(2) 파편(破片) 효과

우발적인 폭발과 관련된 위험 분석에 있어 중요하게 고려할 사항은 폭발에 의해 생기는 파편효과이다. 이러한 파편은 원인에 따라서 1차 파편(탄체 및 충전물의 파쇄)과 2차 파편(저장시설 구조물의 파쇄)으로서 나뉘어 진다. 2차 파편은 폭발에 매우 근접한 거리에 있는 구조물 구성품에 대한 높은 폭풍압력의 결과로 형성되며 크기도 1차 파편에 비해 다소 크고 처음에는 초당 수백피트의 속도로 분산된다.

(3) 열(熱) 효과

탄약은 모두 폭연 내지 기폭이라 정의된 발열반응을 나타낸다.

다. 양거리(量距離)

탄약고에 저장되어 있는 폭발물의 양에 따라 원래상태로 보호를 받아야 할 인접 대상물간 유지해야 하는 최소한의 안전거리를 말한다.

2. 위험급수(危險級數)

가. 정의(定意)

위험급수란 지원부대 탄약고에 저장 중인 탄약을 대상으로 탄약이 지니는 잠재적인 위험요소(폭풍압력, 파편, 열)를 기준으로 하여 각각의 탄약마다 가장 대표적인 위험내용 한 가지씩으로 구분한 것을 말한다.

나. 위험급수 구성(構成)

각각의 탄약마다 구분되어 있는 위험급수는 국제연합 기구에서 설정한 UNO 급수와 공통적인 위험요소를 기준으로 대표적인 위험내용 한 가지씩을 구분한 급수분류 및 급수세분으로 아래와 같이 구성되어 있다.

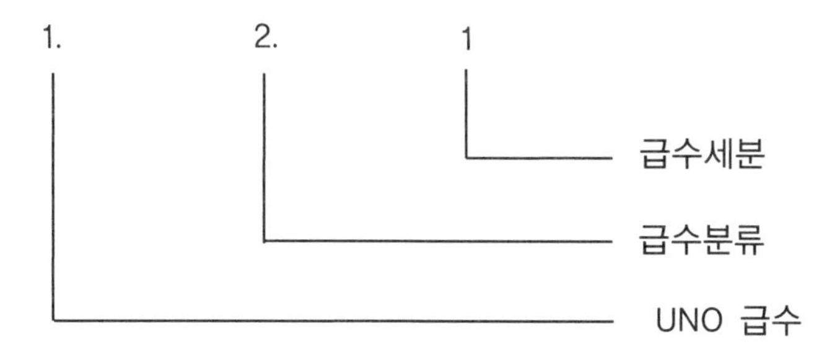

다. 위험급수 분류(分類)

위험급수는 탄약이 지니는 공통적인 위험요소 가운데 각각의 탄약에 한 가지씩의 대표적인 위험내용에 따라 분류한 것으로서 다음과 같이 분류된다.

UNO 급수	급수 분류	급수 세분	위험내용
1 (폭발물)	1		집단 폭발
	2	1	파편 위험
		2	
	3		집단 화재
	4		소형 화재

3. 위험급수 양거리(量距離)

가. 양거리 종류(種類)

탄약 및 폭발물 저장시설과 관련된 대상 시설별 적용하게 되는 양거리 유형은 주택거리, 공로거리, 선내거리 및 탄약고거리로 구분된다.

(1) 주택거리(住宅距離)

주택거리란 탄약이 저장되어 있는 지역과 인원이 거주하는 주거건물 간 유지해야 하는 최소한의 안전거리이다. 주택거리를 적절히 유지하게 되면 주거인원이 건물의 구조물 및 기타 위험물로부터 최대한 보호를 받을 수 있다.

(2) 공로거리(公路距離)

공로거리란 탄약이 저장되어 있는 지역과 공공도로(고속도로, 국도, 철도 등)와 유지해야 하는 최소한의 안전거리이다. 공로거리 유지 목적은 공로를 이용하는 차량과 화차 등을 폭풍압력으로부터 적절히 보호하기 위함이다.

(3) 선내거리(線內距離)

탄약고 업무통제 또는 작업시설(정비공장, 검사장)의 지원을 위해 주변에 있는 보조시설 간에 유지해야 하는 최소 안전거리이다.

(4) 탄약고거리(彈藥庫距離)

저장지역 내에 있는 두 탄약고 사이에 유지해야하는 최소한의 안전거리를 말하며, 폭풍압력에 의해 한 탄약고에서 다른 탄약고로 폭발이 확산되는 것을 막을 수 있다. 탄약고거리는 탄약고의 형태, 탄약의 종류 및 저장되어 있는 폭약량에 따라 결정된다.

나. 혼합저장(混合貯藏)

탄약은 안정적인 저장을 위하여 폭발물의 성질에 따라 혼합저장 그룹을 구분한다. 혼합저장 목적은 행정적인 고려나 작업의 효율 또는 사용상의 편의를 도모하기 위한 것이 아니고 동시폭발이나 화재위험을 예방하기 위하여 준수되어야 한다.
따라서, 뚜렷한 위험을 내포하는 품목이나 전혀 상이한 품목과 함께 저장해서는 안 되며, 현격한 사고발생 가능성이나 탄약에 미치는 영향력이 없을 때 함께 저장 가능한 혼합저장그룹으로 분류한다.

(1) 혼합저장그룹 분류

① A 그룹 - 덩어리 발화 폭발물로서 열, 마찰, 진동에 민감하므로 폭발계열 내의 발화장치로서 사용하는데 적합하다.

② B 그룹 - 2개 이상의 독립 안전장치가 들어있지 않은 기폭통, 또는 유사한 발화장치, 폭발계열을 발화시키거나 기능을 지속하도록 고안된 발화 폭약이 충전된 품목으로 기폭통, 폭파용뇌관, 소화기 뇌관, 신관 등이 있다.

③ C 그룹 - 덩어리 추진제, 추진장약, 자체 점화수단이 있거나 없는 추진제를 포함하는 장치로서 발화 시 폭연, 폭발하는 품목이다.

④ D 그룹 - 흑색화약, 고폭탄, 자체발화 수단과 추진장약이 없고 고폭약을 포함하는 탄약 또는 발화폭발물을 포함하고 있는 품목으로 덩어리폭약, TNT, COMP-B, 및 각종 탄두들이 포함된다.

⑤ E 그룹 - 자체 발화수단이 없고 추진장약이 있는 고 폭탄을 포함하

고 있는 탄약 예로서 포병탄약과 로켓탄약이 있다.

⑥ F 그룹 - 자체 발화수단이 있고 추진장약이 있거나 추진장약이 없는 고폭탄을 포함한 탄약으로서 수류탄이 대표적이다.

⑦ G 그룹 - 불꽃놀이 화약, 신호조명제, 소이탄, 연막탄으로서 최루탄을 포함하며 이러한 탄약이 기능을 발휘하면 소이, 조명, 최루, 연막 효과를 낸다.

⑧ H 그룹 - 폭약과 백린이 같이 충전되어 있거나 기타 자연 발화성 물질을 포함한 탄약으로 대기에 노출되면 자연 연소하는 충전제를 포함하고 있다. 예로서는 백린이 있다.

⑨ J 그룹 - 폭발물 및 연소성 액체 또는 겔(gel)을 포함한 탄약이다.

⑩ K 그룹 - 폭발물 및 화학 작용제를 포함한 탄약이다.

⑪ L 그룹 - 다른 혼합저장 그룹에 포함되지 않은 탄약으로 이 그룹과 상이한 탄약 등과 혼합저장이 허용되지 않는 특성을 지닌 탄약이다.

⑫ N 그룹 - 저성 고폭약 만을 함유하는 탄약으로서 투하탄 등이 포함된다.

⑬ S 그룹 - 특별한 위험을 내포하지 않는 탄약으로서 소구경 탄약이 포함된다.

(2) 혼합저장 허용도표

그룹	A	B	C	D	E	F	G	H	J	K	L	N	S
A	X	Z											
B	Z	X	Z	Z	Z	Z	Z					X	X
C		Z	X	X	X	Z	Z					X	X
D		Z	X	X	X	Z	Z					X	X
E		Z	X	X	X	Z	Z					X	X
F		Z	Z	Z	Z	X	Z					Z	X
G		Z	Z	Z	Z	Z	X					Z	X
H								X					X
J									X				X
K										Z			
L													
N		X	X	X	X	Z	Z					X	X
S		X	X	X	X	X	X	X	X			X	X

Section
02 저장 안전

1. 개요

가. 안전(安全)의 정의(定意)

안전은 상해 고통 또는 위험에 노출되는 것으로부터 자유라고 정의를 내리고 있다. 안전은 우리에게 주어진 환경을 조정하는데 있어서 기본적인 여건이 되며 생존을 위해 보장되어야 할 필수 불가결한 인간의 기본원리이다. 모든 생물은 본능적으로 자기 방호를 꾀하기 위하여 보호색을 갖추고 자율적으로 위험을 물리치기 위하여 행동하거나 반사적으로 특수 기능을 발휘하는 것도 널리 알려진 사실이다. 그러나 인간은 이런 생물적인 기능을 전혀 갖추고 있지 않은 것도 아니지만 인간은 이제 자연의 단조로운 환경에 처해 있는 것이 아니라 복잡 다양하고 위험스런 인위적 환경 밑에서 일하여야 하므로 본능적 힘만으로써 자기 방호를 꾀할 수 없기 때문이라 하여도 과언이 아니다. 구미제국에서 안전업무를 “인간의 피를 위한 봉사”라 부르는 의의가 여기에 있다.

나. 사고(事故)와 재해(災害)

(1) 사고(事故)

사고란 계획되지 않은 사건으로서 사람의 불안전한 행동 또는 불안전한 상태가 있거나 이 두 가지 요인이 복합적으로 작용하였을 때 생겨나서 심할 경우 인명에 상해를 입히거나 재산상의 손해를 끼치는 경우를 말한다. 사고는 성질로 보아 일을 방해하거나 임무수행을 못하게 하며 생산을 저해하는 사건들이라고 할 수 있다. 이런 사고를 미연에 방지하는 일이 곧 안전에 관한 일이다.

(2) 재해(災害)

재해는 사고의 마지막 결과로서 인명의 상해나 재산상의 손해를 지적하는 말이다. 그러나 우리나라에서는 사고의 결과인 재해와 사고 그 자체의 두 가지 의미가 합쳐진 말로 쓰이고 있어 개념상 큰 혼돈을 빚고 있다. 재해는 모든 사고에 반드시 뒤따르는 것이 아니다. 재해보다 10배나 더 많다는 사실만 보아도 곧 알 수 있다. 그러나 우리는 오랫동안 재해가 수반된 사고만을 사고로 다루어 오다 보니 재해가 없었던 사고는 처음부터 사고로 여기지도 않았고 그렇기 때문에 재해가 일어나지 않은 사고일 경우에는 그 원인조차도 전혀 알아보지 않음으로써 사고방지 대책도 자연 소홀히 해온 것이 숨길 수 없는 사실이다. 더욱이 사고의 결과로 생긴 재해의 정도에 있어서 겉으로 봐서는 거의 같은 사고의 경우에도 결과는 전혀 다른 경우가 많아 한 사람은 죽는가 하면 다른 한 사람은 전혀 다치지 않는 경우가 있으므로 사고와 재해를 같은 의미의 말로 혼용하고 있는 우리에게는 더 큰 개념상의 혼동을 일으키고 있는 것이다.

탄약고 피해

사고가 났을 때에 재해가 생기지 않았으면 운이 좋은 사람이라고 단정하여 사고의 발생 사실조차 덮어두는 좋지 못한 사례를 낳았으며 부지불식간에 마침내 사고 자체를 운명 시 하게 되었고 안전에 대한 의식구조에 있어서 돌이킬 수 없는 깊은 병폐를 낳고 있는 것이다. 흔히 우리나라에서는 재해에 대한 관리는 어느 정도 하고 있으나 안전관리는 전혀 하고 있지 않다는 전문가들의 혹평을 듣는 이유도 따지고 보면 사고의 결과인 재해만을 탓하고 원통해 할 뿐이지 사고의 원인을 규명하고 시정하려는 과학적 노력에 있어서는 미흡하고 인색하여 이렇다 할 안전대책을 세우지도 않고 있는데 연유하고 있다.

다. 사고의 연쇄성(連鎖性)

사고의 현상

환경과 내력	⇒	심신의 결함	⇒	불안전 상태	불안전 행동	⇒	사고	사상	⇒	재산의 손해

라. 사고와 경제적 영향(經濟的影響)

(1) 인시손실(人時損失)

모든 사고는 인시손실을 초래한다. 만약 특정한 인물이 사고로 현재의 작업을 하지 못할 경우 다른 사람으로 하여금 그 자리를 보충하게 할 수는 있으나 동일조건과 동일한 기술정도를 갖고 있지 않는 한 인시손실을 면할 수 없다.

(2) 자재손실(資材損失)

현재 작업에 사용되고 있는 자재의 파손이나 유실 등은 작업의 지연과 추가적인 예산과 인시의 손실을 초래한다.
뿐만 아니라 파손이나 유실된 자재를 복구하기 위해서도 인시의 증가가 요구되고 파손이나 유실된 보급품의 중대성과 긴급성에 따라서 이의 손실은 증가된다.

(3) 장비손실(裝備損失)

작업에 사용되고 있는 장비의 파손이나 유실이 있을 때 이는 여러 가지 면에 있어서 큰 손실을 초래한다.
특히 중요한 임무를 수행하고 있는 장비의 손실은 경제적인 손실뿐만 아니라 작전상의 지장까지 초래하게 되므로 더욱 중요시 된다.

(4) 사기손실(士氣損失)

정상적인 일에 비정상적인 일이 발생하게 되면 그 여파는 제일 먼저 정신적인 면에 영향을 끼치게 된다. 만약 어떠한 개인에게 사고가 발생하게 되면 그 사고는 즉시 그 개인의 정신을 자극하게 되고 사기가 저하되기 마련이다.
정신적인 피해의 과다는 사고의 경중에 따라서 더욱 차이가 크게 된다. 어떠한 임무를 수행하던 개인이 사고로 사망하고 그 직위에 다른 사람을 보충하였을 때 새로이 보충된 개인은 모든 일에 주저하게 됨은 두말할 필요도 없다.

(5) 음성손실(陰性損失)

사고의 결과로 인한 정신적 저하는 음성손실이다. 이것은 장비나 자재의 경우와는 달리 화폐로 그 가격을 측정할 수 없는 것이다. 그러므로 여기서 가장 중요시 되는 것은 인원의 보충과 장비의 적절한 사용이다. 지나간 사고의 공포는 작전임무 수행에 커다란 영향을 초래하게 된다.

마. 사고의 원인(原因)

(1) 인위적(人爲的) 원인

(가) 안전의식 결여(缺如)

안전에 대한 지식이 부족하면 이는 사고의 원인이 되다. 위험 물품의 취급이나 측정시의 안전사항 등은 필히 교육되어야 한다. 어떠한 임무를 수행할 때 그 임무의 수행목적과 수행방법 등을 사전 인지시켜 준다는 것은 대단히 중요하다.

(나) 안전훈련의 결여

안전훈련은 임무수행 목적이라든가 임무수행 방법과는 관계없이 일체의 안전사항에 대해서 실질적인 훈련으로서 경험을 쌓게 하는 것이다. 교육과 훈련은 동시에 수행되어야 하며 불가분의 관계를 갖고 있다.

(다) 컨디션(Condition)

개인의 컨디션은 각 개인의 신체적 조건과 관계가 있다. 신체적인 질병, 수면부족, 불안, 어떠한 조건에 의한 흥분 등은 무시할 수 없으며 중요한 사고의 원인이 되기도 한다.
일반적인 예를 들면, 운전수의 부주의라든가 현기증 등으로 일어나는 사고를 들 수 있다. 또 어떠한 개인이 개인사정으로부터 받은 흥분상태는 사고와 직접적인 관계가 있다. 이러한 사람들 즉 사고의 가능성을 내포한 개인들은 가급적 특수 임무를 부여하지 말아야 한다. 모든 신체적인 악 조건을 구비한 사람은 감독관의 보고에 의해 의사의 진료를 받아야 한다.

(2) 자재(資材)로 인한 원인

폭발성 물품이나 가연성 물품은 타 품목들에 비해서 보다 세심한 주의가 필요하다. 일반 보급품과 관계되는 사고는 그리 큰 지장이나 지연을 초래하지 않으나 폭발물이나 가연성 물질과 관계되는 보급품의 사고는 인명 피해이라든가 장비의 파손 등 사고의 원인이 된다. 자재와 관계되는 3 가지 주요사항은 자재의 성질, 자재의 취급, 자재의 저장 등이다. 보급품의 성질은 그것을 취급하고 저장하는데 직접적인 관계가 있다.

(3) 장비(裝備)로 인한 원인

(가) 장비의 디자인(Design)

모든 장비는 최대 취급능력, 인양능력, 최대 속도 등에 의해서 만들어져 있다. 그러므로 모든 장비는 운용 전에 그 장비의 능력을 고려해야 한다. 장비의 능력을 고려해야 한다는 것은 절대로 취급능력이 초과되는 일이 없도록 해야 한다는 뜻으로 안전능력을 고려하여서 여유 있는 장비를 선택해야 한다.

(나) 장비의 사용(使用)

모든 장비는 목적에 의해 만들어졌으므로 그 기본목적 이외의 다른 목적을 위해서 사용되어서는 안 된다. 즉, 예를 들면 전기식 기관을 가진 장비는 가연성 물질을 취급하는데 사용되는 것과 같이 모든 장비는 운용 전에 장비의 디자인과 작업의 종류를 비교한 후 운용 여부를 결정해야 한다.

(다) 장비의 정비(整備)

정상적인 상태를 갖지 못한 장비는 사고의 원인을 내포하고 있다. 정비 상태가 불량한 장비는 절대로 작업에 사용해서는 안 된다.

(라) 장비의 취급방법(取扱方法)

특수 장비의 취급은 교육훈련을 받은 자에 한해서만 운용되어야 한다. 교육훈련을 받지 않은 자가 특수 장비를 취급하면 어떠한 사고를 일으킬지 모른다. 기타 부당한 위치할당 및 작업장소는 사고의 간접적인 원인이 된다. 여기에는 거리, 통로, 작업지역 등 여러 가지 요소도 고려되어야 한다.

2. 인원 안전(人員安全)

가. 인원 제한(制限)

탄약 및 폭발물과 관련된 임무수행은 안전과 능률의 향상을 위하여 다음과 같이 제한하여야 한다.

(1) 탄약취급 임무와 직접적으로 관련되지 않는 인원은 해당지역 주변에 있어서는 안 되며 불필요한 행동을 금지한다.

(2) 임무수행에 불필요한 인원은 탄약을 취급하는 장소에 접근할 수 없다.

(3) 동일 건물 내에서 여러 가지 임무를 동시에 실시하여야 하는 경우에는 화재 및 폭발의 확산을 방지하기 위하여 위험한 현장은 분리하여 별도로 작업계획을 수립, 수행하도록 해야 한다.

(4) 탄약고, 또는 탄약 정비시설의 출입문 안쪽에 작업자와 감독자 및 기타 관련요원이 볼 수 있도록 작업 허용 인원수와 최대 폭약량을 기록한 표지를 게시해야 한다.

나. 폭약량(爆藥量)제한

(1) 탄약 및 폭발물 양의 제한은 임무수행 시간, 수송방법, 크기, 폭발물의 화학적, 물리적 성질에 의하여 결정되므로 엄격히 제한할 필요가 있다.

(2) 탄약고에 저장된 폭발물은 양거리 기준에 입각하여 허용된 최대량 이내로 설정하며, 각 탄약고에는 최대저장 한계 표지를 게시해야 한다.
(3) 탄약고 이외의 지역에 폭발물 저장 시에도 양거리 기준에 입각하여 최대저장 허용량보다 적은 양으로 저장하는 것이 효율적이고 탄약의 안전과 임무수행 간 편리하다.
(4) 4시간 이상의 시간이 소요되는 정체량은 작업건물로부터 선내거리 이상 이격된 별도의 시설에 보관해야 한다.

다. 보호 장구 및 공구

(1) 탄약을 취급 시에는 위험에 대비하여 해당 보호 장구를 착용해야 하고, 시설 내 제반 안전설비 및 안전장치를 설치해야 한다.
(2) 사용되는 수공구는 반드시 불꽃을 일으키지 않는 재질의 공구를 사용해야 하며 비철금속 수공구는 폭약, 가연성 먼지, 가스 및 증기 누출의 위험성을 지닌 작업 시 사용된다.

3. 취급 안전(取扱安全)

기계식 취급 장비를 사용하더라도 어느 정도의 물량은 손으로 취급해야 할 때가 있다. 각개인원은 다음 사항에 유의하여야 한다.

가. 탄약취급 시 안전기준(安全基準)

(1) 탄약 취급은 반드시 감독자를 임명, 통제 하에 실시한다.
(2) 탄약 취급 전 지휘관(자)에 의한 안전교육을 실시한다.

(3) 탄약 저장지역 출입 시 인화물질[37] 개인 휴대금지 및 통합관리(흡연 장소지정)한다.

(4) 호기심에 의한 탄약 임의개봉, 분해, 충격 및 마찰을 금지한다.

(5) 모든 인원의 안전 장구류[38] 착용을 생활화(장비 조작병 포함)한다.

(6) 장비 취급 시(지게차, 거양장비[39]) 유도병을 운용한다.

(7) 인가 공구사용 및 스파크 성 공구 사용을 금지한다.

(8) 야간에 탄약취급 시에는 인가된 조명기구만 사용한다.

(9) 탄약취급 장소에 불필요 인원통제 및 적정인원을 편성한다.

(10) 탄약은 중량의 경중을 막론하고 모두 무겁다는 가정 하에서 침착하게 서서히 취급되어야 한다. 탄약을 들 때는 탄약에 보다 가까이 접근하여 양발을 약간 벌리고 무릎을 완전히 굽히고 앉은 다음 상자 양쪽 끝의 손잡이를 잡고 다리만 쭉 펴는 것 같은 기분으로 등이나 허리는 수직으로 유지한 채 일어서야 한다. 탄약을 들고 이동할 때는 몸에 근접시켜서 이동하여야 한다.

(37) **인화물질**(引火物質) : 성냥, 라이터, 담배 등 화재원인의 대상품

(38) **안전장구류**(安全裝具類) : 탄약취급 시 착용해야 하는 것으로 안전모, 안전화, 안면보호기, 보호안경 등이 있다.

(39) **거양장비**(擧揚裝備) : 파레트 탄약을 차량 및 화차에 적재, 하화 시 사용되는 장비

나. 인화성 물질 휴대금지(引火性 物質 携帶禁止)

(1) 탄약 저장지역 각 출입구에는 인화성 물질 휴대를 금지하는 경고판을 게시해야 한다.

(2) 탄약 저장지역 출입 시 근무 중인 인원에게 인화성 물질 등 휴대금지 물품을 인계한 후 해당지역을 출입해야 한다.

4. 저장시설 관리(貯藏施設 管理)

가. 저장지역 울타리 설치

(1) 탄약 저장지역 주변에는 별도의 견고한 울타리를 설치해야 한다.

(2) 탄약 저장지역과 다른 지역(주거시설, 행정건물, 일반창고 등)과의 사이에는 울타리로 격리되어야 하며 비 인가자의 출입을 금지한다.

(3) 지형이나 기타 물리적 이유로 인하여 울타리 설치가 불가능한 경우 부대 지휘관은 적절한 안전조치를 취해야 한다.

(4) 외래인의 임의 출입을 대비하여 울타리 바깥쪽에 최소한 90m 간격으로 보안 및 안전에 관한 경고문을 게시한다.

나. 탄약저장 지역관리(地域管理)

탄약 저장지역 내의 일반건물 및 탄약고는 항상 청결하게 유지되어야 한다.

(1) 쓰레기

(가) 종류가 다른 쓰레기(기름걸레, 가연성 물질, 종이 등)는 각각 분리된 쓰레기통을 사용하여 건물 밖의 적절한 장소에 위치시킨다.

(나) 쓰레기통은 적어도 하루에 한 번 이상 비워야 한다.

(2) 청소

(가) 정기적인 청소계획을 수립하여 자주 청소해야 한다.

(나) 탄약 취급이 진행 중일 때는 청소를 실시할 수 없으며, 탄약고 내부를 청소 시에는 사전 탄약을 타 지역으로 이동시킨 후 실시한다.

(다) 건물 내의 구조물(냉, 난방시설, 파이프, 전기시설 등)을 자주 점검하여 위험요소를 사전 제거해야 한다.

(라) 탄약고 바닥을 청소할 때에는 가능한 한 온수 및 증기를 사용해야 한다. 단, 하절기에는 찬물을 사용할 수 있다.

다. 경계활동(警戒活動)

(1) 탄약저장 지역에는 항상 경계인원을 배치하여 비인가 인원의 출입을 통제하며, 저장지역으로 통하는 출입구 중 경계인원에 의해 보호되지 못하는 경우는 견고한 시건장치를 실시해야 한다.

(2) 경계 및 출입인원은 비상 소화절차, 화재 및 폭발 시 위험내용 및 행동요령과 안전 주의사항 등을 수시로 교육받아야 한다.

(3) 경계 및 출입인원은 다음과 같은 사항들을 신속히 보고하도록 정기적으로 교육받아야 한다.

(가) 탄약고 주변 지형의 특징, 주변 경계 및 안전 위해 요소

(나) 탄약고 지역 내 또는 주변에 발생한 비정상적인 제반상황
(다) 탄약고 지역 내에서의 임의활동, 흡연, 음주 등의 행위
(라) 소화 장비를 허가 없이 사용하거나 또는 전기 장비를 사용하는 행위
(마) 탄약고 출입문 개방 및 수상한 인원의 행동

라. 탄약 저장시설의 보수(補修)

(1) 저장시설 보수작업 시 안전 요구조건

(가) 모든 보수작업은 경험이 있는 감독자의 감독 하에 실시해야 한다.
(나) 보수작업이 실시되는 저장시설의 바닥은 청결하게 유지되어야 한다.
(다) 불꽃 및 열을 발생하는 장비를 사용하여 실시되는 작업은 탄약고 내에서 실시할 수 없으며, 이와 같은 작업을 실시하기 위해서는 탄약고를 비운 후 실시한다.
(라) 탄약고 외부에서 수행하는 작업이라도 불꽃 및 열이 탄약고 내의 탄약에 위험을 초래할 때는 작업을 수행할 수 없다.

(2) 감독자의 조치사항

(가) 탄약고 및 주변에서 감독자는 작업 전 작업인원에게 작업에 관한 확인 및 감독을 실시해야 한다.
(나) 탄약이 저장된 탄약고 작업 시 감독자는 수리작업 전반에 대해 확인 및 감독을 실시해야 한다.
(다) 감독자는 작업수행 시 위험하다고 판단되는 작업사항에 대해 중지시킬 수 있으며 해당 문제점을 즉시 해결하도록 조치한다.

Section 03 화재 및 폭발예방

1. 개요

대부분의 탄약 및 폭발물 화재는 사전에 예방할 수 있으며, 화재예방은 폭발물 안전관리의 가장 중요한 업무중의 하나이다. 폭발물 화재의 가장 큰 위험요소는 과도한 열이므로 폭발물 주위의 과도한 온도상승을 방지하는데 최선을 다해야 하고 각종 예방활동 기준을 준수해야 한다.

가. 소화계획(消火計劃)

화재 및 폭발에 대한 소화계획은 가용한 통신방법과 약정된 경보전파 방법을 포함시켜 작성해야 한다. 따라서, 세부적 방법과 절차는 각각의 시설에 따라 달라지지만, 종합적인 계획에는 임무책임자의 지정과 편성 및 사전훈련을 실시해야 하며, 각 부서별 또는 유관기관과의 비상 시 역할 등을 포함해야 한다.

(1) 소화계획에 기록되어야 하는 중요한 사항은 다음과 같다.

(가) 화재발생 보고 체계
(나) 질서 있는 인원대피를 위한 지휘감독
(다) 주변 인원 및 부서에 위험상황 전파
(라) 적극적이며 능동적인 화재진압 수단 및 절차
(마) 소방요원에 대한 협조와 화재진압 요령 및 절차
(바) ㉥ 기타

② 각 부서의 소방담당 상황실 지도상에 폭발물 저장지역, 폭발물 위치, 화재기호 등을 기재한다.

③ 폭발물 위치 및 화재기호 등은 변경 시에 즉시 수정하여 최신 상태를 유지, 관리해야 한다.

나. 화재예방(火災豫防) 교육

① 탄약 취급요원 및 소화요원은 화재발생 시 즉각 소화 작업을 할 수 있도록 각각의 화재기호에 대한 소화요령을 교육받아야 한다.

② 탄약 저장지역의 화재발생요인, 위험사항, 화재예방을 위한 준수사항, 초기 상황전파요령, 화재 진압방법 및 절차 등에 대한 교육을 전 관련 요원에게 매월 1회 실시하고, 최소한 분기 1회는 소화훈련을 실시해야 한다.

2. 화재 및 폭발예방 일반기준(一般基準)

가. 인화물질(引火物質) 휴대통제

(1) 성냥, 라이터, 인화성 유류 및 다른 유사한 불꽃이나 스파크 발생기구 등 인화물질을 허가권자의 서면상 승인 없이는 탄약 저장지역 내로 반입할 수 없다.

(2) 허가권자에 의해 정식으로 인정된 장소 이외에는 어떤 경우에도 인화물질을 휴대할 수 없다.

(3) 탄약 저장지역의 출입구에는 "금연 및 인화물질 휴대금지"라는 경고판을 부착해야 하며, 출입자는 반드시 인화물질을 통제요원에게 보관시킨 후 출입해야 한다.

(4) 인화물질 회수 및 통합보관시기, 장소 및 책임관을 아래와 같다.

<table>
<tr><th>구분</th><th>회수 시기</th><th>장소</th><th>책임관</th></tr>
<tr><td>탄약취급 인원</td><td rowspan="4">임무지 출발전</td><td rowspan="4">숙 영 지</td><td>중대장(관리관)</td></tr>
<tr><td>탄약정비 인원</td><td>정비 대장</td></tr>
<tr><td>탄약검사 인원</td><td>검사과장(반장)</td></tr>
<tr><td>경 계 병 력</td><td>소대장/일직사관</td></tr>
<tr><td>운 전 병</td><td>배 차 시</td><td>수 송 부</td><td>수송관</td></tr>
</table>

(가) 탄약 임무수행 지역별 인화물질 휴대함에 통합보관

(나) 임무수행 장소 도착 시 지정된 흡연장에 휴대함 비치

(다) 경계병은 중대본부, 운전병은 수송부 사무실에 통합보관

나. 흡연통제(吸煙統制)

(1) 탄약이 저장된 지역 내에서의 흡연은 엄격히 통제되어야 하며, 흡연은 지휘관이 안전하다고 승인한 장소에서만 할 수 있다.

(2) 흡연 장소에서는 해당 소방책임관의 인가 확인서와 함께 흡연 장소 표지를 부착해야 한다.

(3) 흡연 장소와 탄약고간에는 최소한 17m 이상 이격되어야 한다.

(4) 흡연 장소에는 최소한 아래사항들을 구비해야 한다.

(가) 담배꽁초 및 재를 털 수 있는 재떨이를 준비한다.

(나) 화재 시를 대비하여 흡연장 내에 소화기 및 방화수를 비치한다.

(다) 흡연장 내에 가연성 물질 휴대 및 방치를 금지한다.

(라) 흡연장 주변에는 방벽을 설치하고 방화지대를 구축한다.

(마) 흡연장 내에서는 선임자에 의한 흡연 및 휴식통제를 실시한다.

다. 열(熱) 발생장비 사용

(1) 탄약 저장지역 내에서 109℃ 이상의 높은 온도를 발생시키는 장비는 지휘관의 서면 상 승인이 있을 경우에만 사용할 수 있다.

(2) 열 발생 장비를 필요로 하는 작업의 작업선, 지역, 건물 등에는 반드시 감독자가 입회하에 작업을 수행해야 한다.

라. 소각(燒却)

(1) 탄약이 저장되어 있는 이그루형 탄약고, 지상형 탄약고, 옥외저장고 및 정비시설로부터는 66m 이내에서는 전반적인 소각을 금지한다.

(2) 소각 전에는 반드시 소각지역으로부터 가까운 장소의 모든 탄약고, 통풍구, 건물창문, 출입구 및 통풍장치를 완전 폐쇄하여야 한다.

(3) 소각작업이 실시되고 있는 도중에는 소각에 의한 불꽃 및 뜨거운 재들을 통제해야 하며, 바람이 불거나 예상될 경우는 소각을 실시해서는 안된다.

(4) 소각 시에는 소방요원 및 소화 장비를 작업장 주위에 배치시켜야 한다.

마. 페인트 등 인화성 물질(引火性 物質) 저장

(1) 탄약정비 작업에 소요되는 적은 양의 페인트나 신나와 같은 인화성 물질은 탄약 저장지역에 저장할 수 있다.

(2) 목재, 종이 및 마른걸레 등과 같은 가연성 물질은 인화성 물질과 함께 저장해서는 안 된다(인화성 물질이 들어있는 용기는 사용할 때를 제외하고는 개방되어서는 안 된다).

(3) 인화성 물질 저장소는 탄약고로부터 30m 이상 이격거리를 유지해야 한다.

(4) 탄약 작업 건물에 페인트 저장 시 주의사항은 다음과 같다.

(가) 페인트 저장양은 5갈론을 초과할 수 없다.

(나) 페인트 저장 보관함은 적색으로 도색, "불조심"이라는 표기를 한다.

(다) 직사광선 및 고온에 노출을 피한다.

(라) 페인트가 저장 된 장소에서는 흡연을 금하며, 1개 이상의 소화기를 비치한다.

바. 방화지대(放火地帶) 설치

(1) 방화지대 설치 장소 및 범위

(가) 임시, 옥외저장고를 포함한 모든 탄약고 주위에는 최소한 17m 이상의 방화지대를 설치 유지하고 이 지역 내에 있는 모든 초목은 완전히 제거해야 한다.

(나) 설치된 방화지대는 주기적인 제초작업을 실시하여 초목으로 인한 화재발생을 방지해야 한다.

(다) 탄약 저장지역 내 모든 도로 및 철도주변과 같은 장소의 배수로 등에 방화지대를 설치하며 비, 바람이나 물에 의한 침식작용을 방지해야 한다.

(2) 방화지대 주변 초목통제

(가) 탄약 저장지역 또는 인접된 건물 주변에는 화재발생 시 초목으로 인한 확산 위험이 없도록 적절히 통제해야 한다.

(나) 건초, 잡초, 고사목 등의 제반 초목을 제거함으로써 초목에 의한 화재확산을 방지할 수 있으므로 가능한 사철 잔디 등과 같은 화재위험이 적은 초목을 기르는 것이 좋다.

(다) 지면 침식우려가 있는 지역에서는 초목을 완전히 제거해서는 안 된다.

(라) 이그루형 탄약고는 잔디로 잘 보호되어야 하며 특히 통풍구 주변은 화재예방 및 통풍유지를 위해 초목이나 잡초를 제거해야 한다.

(마) 탄약 저장지역 내에는 고사목이나 벌목은 별도로 보관하고 주변에는 화재예방 대책을 강구해야 한다.

사. 화재 시 진화대책(鎭火對策)

탄약은 작은 화재라도 빠른 확산 및 높은 열을 수반하는 대형화재 또는 폭발을 초래하게 되므로 일반적 화재와는 달리 특별한 대책을 강구 하여야 한다.

① 탄약의 저장장소 및 지역에서 화재가 발생시는 가용한 모든 수단을 이용하여 즉각적인 보고 및 초기진화를 실시해야 한다.

② 탄약고 내부에서 화재 발생시는 탄약고 안으로 들어가거나 탄약고 문을 개방해서는 안 되며, 소방인원 및 장비가 접근하는 예상도로에 안내병을 보내 화재지역으로의 안내 및 화재상황(위치, 규모, 특징 등)을 알려 주

어야 한다.

③ 탄약고 주변 가연성 물질에 의한 화재 시에는 경보전파와 함께 소방인원 및 장비가 도착할 때까지 주변의 가용한 소화 기구를 이용 진화 노력을 실시한다.

④ 소방 책임관은 화재의 위험정도를 정확히 파악하여 지휘관과 토의 후 진화 인원 및 장비의 투입여부를 결정한다.

⑤ 화재의 확산으로 인해 보유 수단을 이용 진화가 불가할 시 모든 인원 및 장비는 안전거리 이상 대피를 시켜야 한다.

⑥ 화재 진화를 위해 투입되는 인원은 화재에 노출된 탄약의 특성과 화재 상태를 사전인지 하여야 한다.

아. 안전거리(安全距離) 유지

구분	안전거리	구분	안전거리
소각장	66m	방화 지대	17m
휴식장	17m	송전선	10m
훈련장	370m	차량 주유	33m

3. 소화기구(消火器具) 비치 및 운용

가 소화기구 비치 및 운용기준

(1) 탄약을 취급하거나 저장지역 주변에서 작업할 경우 즉시 사용가능한 2개 이상의 소화기를 비치하여 풀, 나무, 침목, 상자 등 가연성 물질의 초기 화재진화에 사용해야 한다.

(2) 소화기는 사용하기 쉬운 곳에 비치하고 수시로 정비하여 최상의 상태로 유지해야 한다.
(3) 소화기는 반드시 탄약고 내부에 보관할 필요는 없다.
(4) 소화기구 설치는 해당부서의 소방책임관과 충분한 사전 검토 후 설치장소를 결정하여 비치해야 한다.
(5) 화재 진화를 한 소화기구는 방화수통, 삽, 물통 등으로 구성되며 동절기에는 방화수의 동결방지를 위해 필요한 조치를 취해야 한다.
(6) 각 부서의 소방대에서 고정식 소화전과 소방차 운영이 가능한 장소에는 소화기구 비치를 생략할 수 있다.
(7) 세부적으로 비치해야 할 소화기구의 비치기준을 아래와 같다.

시설명	소화기		간이 소화기구			
	10형	150형	방화사	방화삽	방화수	방화수통
시설탄약고	o	o	x	x	x	x
B/L탄약고	o	x	x	x	x	x
백린탄약고	o	o	x	x	o	o
검 사 장	o	o	o	o	o	o
정 비 공 장	o	o	o	o	o	o
하 화 장	x	o	x	x	x	x
숙 영 시 설	o	x	x	x	x	x
행 정 시 설	o	x	x	x	x	x
유 류 고	x	o	o	o	x	x
차량정비고	x	o	o	o	o	o
창고 / 기타	o	x	x	x	x	x

(가) 간이 소화기구 비치기준

1) 방화사 : 1개소(1㎥)
2) 방화삽 : 3개(D형삽)

3) 방화수 : 1개소(드럼 2개 매설)

4) 방화수통 : 2개(5G/A)

(나) 하화장 및 정비공장 : 탄약취급 간 소방차 대기

4. 화재기호(火災記號) 종류 및 게시방법

탄약을 저장하거나 취급하는 모든 시설에는 화재기호를 게시한다. 이는 탄약고 또는 해당시설 및 지역에서 화재 발생 시 진화를 위해 투입하는 인원이나 평시 탄약관리 임무를 수행하는 모든 인원들에게 저장 및 취급하는 탄약의 위험 종류에 따라 화재진화 및 행동지침을 제공하기 위함이다.

가. 재래식 탄약 화재기호 종류(種類)

탄약은 진화작업에 따르는 위험정도에 따라 탄약을 급수별로 분류하며, 화재급수는 숫자 1, 2, 3, 4에 의해 표기되고 숫자의 명확한 식별을 위해 급수별 도형을 달리한다.

화재 기호	위험 내용	대피 거리	주요 탄종
1	집단 폭발	• 집단폭발성 – 381m • 파편성 – 1,219m	대구경 탄두/ 폭약/ 지뢰류
2	파편 위험	762m 이상	중구경 탄약

3	집단 화재	183m 이상	추진장약류
4	작은 화재	92m 이상	소구경 탄약

(1) 진화방법

(가) 화재기호 1

화재기호 1에 해당하는 탄약은 화재 발생 시 폭풍압력에 의해 집단 폭발을 할 수 있는 위험이 있는 탄약으로서 소방요원이 도착하기 전 화재진화를 실시해서는 안 되며, 경보 전파 후 탄약의 특성에 따른 안전거리만큼 인원 및 장비를 대피시켜야 한다.

(나) 화재기호 2

화재기호 2에 해당하는 탄약은 화재 발생 시 작은 량이라도 폭발과 함께 많은 파편이 형성된다.

1) 화재 초기단계에는 상황전파 및 경보를 울리고 초기진화를 실시한다.
2) 소방요원에 의해 화재진화가 되어야 하며, 이것이 불가능할 경우 화재확산 억제에 주력하며 화재가 확산 시 안전거리만큼 대피를 실시한다.

(다) 화재기호 3

화재기호 3은 집단화재의 위험이 있으나 진화 인원에게 위험한 영향을 주지 않는 범위 내에서 소화기를 이용 초기진화를 실시하며,

진화의 노력에도 진화가 되지 않을 경우 다른 탄약고로 확산되는 것을 방지하는데 주력한다.

(라) 화재기호 4

화재기호 4는 보통 화재위험을 나타내며 특별한 폭풍 및 파편의 위험이 경미하므로 상황에 따라 완전히 진화될 때까지 소화기로 계속적인 진화 노력을 실시한다.

나. 화학탄 화재기호

보호의 세트 착용 위험기호는 소이탄, 조명탄, 연막탄의 종류에 따라 그림 및 원형 테두리의 색상으로 구분한다. 화재 발생시 각 인원들에 대한 행동지침을 제공하고, 그림 및 표기는 진화작업시 적용되며 평상시 정상적인 임무수행 간에는 적용하지 않는다.

(1) 완전보호의 셋 위험기호

(가) 완전 보호의

완전보호의 기호는 set 1, 2, 3으로 구분되며, 이들 기호는 그림과 원형 테두리의 색상으로 구분된다.

1) set 1 : 청색바탕에 황색그림과 테두리(A그룹)

인체에 해를 입힐 수 있는 탄약이 저장된 탄약고로 완전보호의 set

1을 착용해야 한다(보호의, 방독면, 보호장갑 및 발 보호덮개).

2) set 2 : 청색바탕에 백색그림과 테두리(B 그룹)

최루탄 및 아군의 은폐 및 생존성을 위해 사용하는 연막탄이 저장된 탄약고의 화재 진화시 모든 인원은 set 2와 관련된 장구를 착용한다(보호의, 방독면).

가) 연기, 미립자 또는 연소제로부터 연기의 흡입방지를 위해 완전보호의는 방독면이 포함된다.

나) 진화를 위해 출동되는 인원은 방독면이 포함된 불침투성보호의를 착용해야 한다.

다) 인원의 응급처치에 필요한 장비 및 약품을 준비한다.

- 환자 응급처치키트 : 아밀아질산앰플, 개인응급처리킷
- 113.4g(4온스)의 순수 녹색알콜 혼합물(95%) 및 암모니아 몇 방울이 첨가된 113.4g의 에틸알콜 및 모포/들것
- 1Pint(약 0.47ℓ)의 물에 100g(3.5온스)의 중탄산나트륨을 녹인 후, 1Pint(약 0.47ℓ)의 알콜을 첨가시킨 용액으로 최루작용제로 인한 피부발진을 치료한다.

3) set 3 : 청색바탕에 백색그림과 테두리(C 그룹)

적의 공격 차장 효과를 위해 사용하는 백린(WP, PWP)과 같은 자연발화 물질이 포함된 탄약을 말하며, 화재시 모든 인원은 set 3과 관련된 보호장구를 착용해야 한다(내화성 작업복, 방독면, 보호장갑).

가) 대기중에 노출되어 연소하는 연막에는 독성이 없지만 증기는 독성이 있으며, 백린이 체내에 흡수되면 독성이 강하다.

나) 옷이나 피부에 닿아도 인에 의해서 계속 연소되므로 취급 및 진화시 주의해야 한다(피부 접촉시 황산동 용액을 섞은 물을 이용하여 진화).

다) 백린 진화시 특성상 특별한 소화기술이 필요하며 모래를 이용하는 것이 바람직하다.

라) 방화복으로 된 보호의 set(방독면, 내열 보호장갑)를 착용한 인원이 진화를 실시해야 한다.

마) 응급환자 조치

- 피복에 묻어 타고 있으면 빨리 피복을 탈의한다.
- 피부에 닿았으면 젖은 헝겊, 물, 젖은 모래 등을 이용하여 공기를 차단하며, 가능한 빨리 의료기관으로 후송한다.

바) 초기의 백린누출은 백색연기의 발생으로 조기탐지가 가능하므로 임무수행 중 발견되면 준비된 방화수통에 빨리 침전시킨다.

(나) 호흡장치 착용

1) 청색 바탕에 흰색 그림 및 테두리로 구성되어 있으며, 연소할 때 강렬한 빛과 열을 수반하는 소이탄약 및 가연성 물질이 저장되어 있음을 나타내며, 화재시 연기의 흡입으로 질식을 방지하기 위해 방독면을 착용해야 한다.

※ 호흡장치 착용(완전보호의 set 2호)

가) 호흡장치 착용기호 부착 탄약고의 저장 탄종은 HC연막제, 소이제(TH, PT, IM, NP), 유색연막탄약을 포함한다.

나) 진화작업에 투입되는 인원은 별도 보호의나 장비는 필요하지 않으나 연막의 독성을 고려하여 방독면을 착용한다.

(다) 물 사용금지(완전보호의 set 3호)

1) 흰색 바탕에 적색 테두리와 대각선 및 흑색 그림으로, 화재진화를 위해 물을 사용할 경우 물과 작용제가 혼합되어 위험한 가연혼합물이 생성되거나 화재가 확산되는 등, 위험한 반응이 발생될

수 있으므로 이를 예방하기 위한 기호이다.

2) 물사용 금지기호가 부착된 탄약고는 진화시 물을 사용하면 화재의 확산 가능성이 있는 마그네슘이나 알루미늄 같은 미세한 금속가루가 충전된 소이탄약으로서, 이들 금속분말들은 물과 접촉하면 수소가스를 발생하고 공기중에 확산된 분말에 의하여 2차 분진폭발이 발생할 수 있다. 이러한 탄약이 저장된 탄약고에서 화재 발생시는 진화인원은 물을 사용하지 말고 모래를 사용하며, 방독면이나 보호의를 착용해야 한다.

(2) 연막탄, 조명탄, 소이탄약 등이 저장된 탄약고의 위험기호도 화재기호와 같이 도로 및 접근로에서 식별이 잘되는 곳에 게시되어야 한다.

(가) 완전보호의와 호흡장치를 착용해야 하는 탄약이 동시에 저장되어 있을 경우 완전보호의 set 기호를 게시한다.

(나) 완전보호의나 호흡장치 기호가 물사용 금지와 함께 게시되어야 할 때 완전보호의와 물사용 금지, 호흡장치와 물사용금지는 함께 게시한다.

(다) 혼합저장 위반으로 완전보호의 set 1 · 2 · 3이 모두 요구될 경우 set 1을 게시하면 된다(최고 보호도 적용).

(라) 완전보호의 set 2와 3이 혼합저장 되어 있을 경우 set 3이 높은 보호도를 가진 것으로 판단하여 set 3을 게시한다.

이상에서 살펴본 바와 같이 탄약고의 화재 예방은 대량인명 및 재산피해를 예방하는 것과 직결되므로 관리하는데 있어서 부단한 지휘관심과 예방대책이 중요하다고 할 수 있다. 또한 각 탄약고별 화재 발생시 저장 탄종에 따른 진화방법 및 대처능력은 평시부터 주기적이고 지속적인 화재 진화훈련을 실시함으로써 유사시 적절히 대처할 수 있는 능력을 갖출 수 있고, 동시에 진화인원에 대한 내열성 방화복 및 완전보호의 set를 확보하는데 주력해야 한다.

다. 탄약을 저장관리 하는 탄약고와 작업이 실시되는 모든 시설에는 아래와 같은 소화기구를 비치하고 방화대의 편성 및 기능을 유지하여야 한다.

(1) 소화기구 비치기준

시설명	소화기		간이 소화기구			
	150형	10형	방화사	방화삽	방화수	방화수통
일반 탄약고	o	o	x	x	x	x
백린 탄약고	o	o	x	x	o	o
B/L 탄약고	x	o	x	x	x	x
검 사 장	o	o	o	o	o	o
정 비 공 장	o	o	o	o	o	o
하 화 장	o	x	x	x	x	x
숙 영 시 설	x	o	x	x	x	x
행 정 시 설	x	o	x	x	x	x
유 류 고	o	x	o	o	x	x
차량 정비고	o	x	o	o	o	o
창고 및 기타	x	o	x	x	x	x

※ 하화장 및 정비공장 : 탄약 취급간 소방차 대기

라. 화재기호 게시(揭示)

(1) 화재기호는 도로에서 식별이 용이한 곳에 게시를 하는데 통상이 그루형 탄약고는 전면 중앙에 1개, 지상형 탄약고에는 전면 및 좌, 우, 측면에 2~3개를 게시한다.

(2) 한 탄약고에 여러 급수의 탄약이 저장되어 있는 경우에는 그 중 가장 높은 급수의 화재기호를 게시한다.

(3) 기타 탄약의 수불간에는 아래와 같이 화재기호를 변경 게시하여야 한다.

(가) 빈 탄약고에 저장 시 : 해당급수의 화재기호 게시 후 저장

(나) 추가 저장 시 : 입고되는 탄약의 급수를 확인 후 교체

(다) 일부 불출 시 : 불출 탄약에 의해 급수변동 확인 후 교체

(라) 전량 불출 시 : 불출 완료즉시 게시된 화재기호 제거

화재기호 게시

Section 04

수송 및 취급안전

1. 개요

탄약의 수송에 따른 포장, 표지 및 수송방법과 탄약 취급 장비별 안전관련 사항은 다음과 같으며 각 부대별 세부적 아전기준의 작성 및 시행을 필요로 한다.

2. 포장(包藏) 및 표기(表記)

포장이라 함은 상품의 유통과정에 있어서 그 물품의 가치 및 상태를 보호하기 위하여 적합한 재료 또는 용기 등으로 물품을 포장하는 방법 또는 상태를 말한다. 포장은 상품의 일부가 되어 생산, 유통, 소비분야에서 제품의 보호, 분배, 수송, 저장, 및 사용까지 그 기능을 다해오고 있으며, 특히 대량생산, 대량소비의 시대인 현대에 있어서는 포장의 합리화가 예산의 절감과 물자의 보호와 직결되고 있다.

가. 포장방법(包藏方法)상 분류

(1) 낱 포장(단위포장)

낱 포장이라 함은 물품 개개의 포장을 말하며 물품의 상품가치를 높이거나 물품 개개를 보호하기 위하여 적합한 재료 및 용기 등으로 물품을 포장하는 방법 및 포장한 상태를 말한다.

(2) 속 포장(내부 포장)

속 포장이라 함은 포장된 물품 내부의 포장을 말하며 물품에 대한 수분, 습기, 열 및 충격 등을 방지하기 위하여 적합한 재료 및 용기 등으로 물품을 포장하는 방법 및 포장한 상태를 말한다.

(3) 겉 포장(외부포장)

겉 포장 이라 함은 물품 외부의 포장을 말하며 물품을 상자나 목재 및 금속용기에 넣거나 용기를 사용하지 않고 그대로 묶어서 기호 또는 물품을 표시하는 방법 및 포장한 상태를 말한다.

나. 포장의 기능(機能)

(1) 보호성(保護性)

내용품의 보호는 포장이 갖는 가장 으뜸가는 역할이다. 상품의 유통과정에 있어서 또는 물품의 이동이나 보관과정에 있어서 상품이나 물품이 받는 여러 종류의 충격으로부터 내용품을 보호하는 데에 포장의 주된 목적이 있으며, 물품이 받는 장애는 상품의 종류, 모양, 취급 장비 및 기타 요인에 따라 다르게 나타난다.

(2) 편리성(便利性)

포장은 유통과정, 즉 수송, 보관, 하역, 사용 등에 편리하도록 계획되고 설계되어야 한다. 어떤 물품이 생산 공장에서 최종 사용부대의 사용자에 이르기까지 저렴한 경비와 편리하게 사용 및 유통되도록 하기 위해선 다음과 같은 제 조건을 충족시켜야 한다.

구분	요구 조건
생산공장의 편리성	•포장비 저렴 •포장작업의 간편 •수송 및 보관비 저렴(용적, 무게)
운반자의 편리성	•취급 및 저장에 편리 •포장 및 이동의 용이
보관자의 편리성	•취급 및 저장에 용이 •이동용이 및 식별마크의 선명
저장시설의 편리성	•이동용이 및 식별마크의 선명 •운반과 관리에 용이 •저장 공간의 적정수준 유지 •포장해체 및 재 포장의 용이
사용자의 편리성	•하역 및 취급용이 •보관 및 식별용이 •창고 배치의 용이

(3) 상품성(商品性)

포장이 갖는 3대 기능 중에서 군수품 포장과는 거의 관련이 없는 기능이다. 상품성이란 것은 포장이 상품의 매매 조성 혹은 판매촉진에 직접 어느 정도로 기여하는 것인가를 이르는 것으로서 그 효과는 상업포장에서 대단히 큰 것이다.

다. 탄약(彈藥)의 포장

① 탄약은 취급, 저장 및 수송에 견딜 수 있도록 견고하고 안전하게 포장해야 한다.

② 탄약은 그 물자의 성질, 형상, 중량, 수송거리 및 환적회수 등에 따라 수송 중 감량 및 훼손을 방지할 수 있도록 충분히 포장해야 한다.

③ 탄약은 납품 및 도입 시 포장상태가 훼손되지 않도록 하고 특별 취급주의를 요하는 위험물자의 포장상태가 훼손되었을 경우에는 해당 품목의 안전지침 및 전문요원의 지시에 따라 재 포장해야 한다.

라. 수송(輸送)을 위한 표지

① 탄약은 외부에서 보기 쉬운 곳에 위험성 화물임을 나타내는 표지를 붙여야 한다. 부착되는 표지는 폭발물 취급에 관련된 규정에 따라 각 품목별로 구분된 것이어야 하며, 보안상 불가피한 경우에는 외부표지를 생략할 수 있다.

② 가연성 액체를 수송하는 탱크 외부에는 "인화성 물질" 및 "50ft이내 금연" 등 안전표지를 하듯이 일반 탄약을 수송하는 차량 및 화차의 앞, 뒤, 좌, 우에 "폭발물(EXPLOSIVE)"이란 표지를 부착해야 한다.

마. 용기형태(容器形態)

탄약의 용기는 예상되는 위험, 저장 및 수송 시 요구조건, 취급 및 개폐의 용이성, 포장할 탄약을 최대한 보호할 수 있는 요구사항 등을 기초로 하여 설계 및 제작되어야 한다.

(1) 형태

(가) 목재상자는 재사용이 가능하고 쉽게 탄약을 꺼낼 수 있어 어디서든지 사용가능 하다.

(나) 철사 띠 상자는 견고한 목재 상자처럼 여러 번 다시 사용할 수 없지만, 상자를 재사용하지 않을 경우에는 가격이 저렴하므로 활용도는 크다.

(다) 원통형으로 방수가 되고 재사용 가능한 금속 혹은 프라스틱 제품용기는 물이나 수증기의 접촉 및 충격으로부터 고도의 보호를 필요로 하는 탄약을 포장하기 위하여 사용된다.

바. 파레트 작업

파레트나 침목은 대부분의 탄종의 포장에 사용되며, 지게차 및 기타 물자취급 장비에 의한 취급을 용이하게 한다. 파레트 작업을 함으로써 얻을 수 있는 장점은 다음과 같다.

① 탄약취급 인력 소요감소　　② 동일 LOT 품목유지에 효과적
③ 퇴적의 재물조사 용이　　④ 침목의 소요량 감소
⑤ 공중 수송 효율성 증대　　⑥ 탄약취급 시간감소

3. 적송(積送)

적송이란 S/L조정, 인가된 전투용탄약 확보 및 특정 목적의 탄약확보를 위해 타군 지역 내의 보급소와 보급소간, 보급소와 탄약창간, 또는 탄약창간에 탄약이 이

동하는 것을 말하며 적송을 위해서는 효율적인 수송수단을 필요로 한다.

가. 수송수단(輸送手段)의 선정(選定)

① 탄약은 보급, 수송 우선순위에 따라 안전하고 경제적이며 효율적인 수송수단을 선정해야 한다.

② 탄약은 철도 또는 군 수송수단으로 수송해야 하며, 민간용역 수송이 불가피한 경우에는 보안상 필요한 조치를 강구해야 한다.

③ 탄약은 가급적 발송부대에서 수령부대 까지 직송될 수 있는 수송수단을 선정하여 중간에서 재적재하는 횟수를 줄여야 한다.

나. 적재(積載)시 주의사항

① 탄약은 수송 중 마찰, 유동, 충격이 없도록 포장해야 한다.

② 유동 및 누출염려가 있는 폭발물은 적절량을 적재하여 파손될 염려가 없도록 해야 한다.

③ 인화 및 폭발할 염려가 있는 탄약을 적재 및 하역하는 요원은 성냥, 라이터 등 인화물질의 휴대를 금하며, 비 스파크성 장구류를 사용해야 한다.

④ 탄약의 하역 시 갈고리 사용을 금하며, 떨어뜨리지 않도록 한다.

⑤ 탄약은 작전상 특별한 경우를 제외하고 병력과 함께 적재할 수 없다.

⑥ 탄약을 수송하는 차량에는 반드시 2개의 소화기를 비치해야 하며, 차량 고장 시 주간에는 50m 후방에 경고표지(적색기 등)를 설치하고, 야간에는 불빛이 반사되는 경고표지를 설치하여 사고예방에 만전을 기해야 한다.

다. 호송(護送)

탄약이 수송간에는 적절한 보안 및 안전을 위해 각각의 수송수단별 호송인원을 필요로 한다.

(1) 호송 전 조치사항

(가) 탄약의 호송은 단독군장을 착용한 무장인원이 호송함을 원칙으로 한다.

(나) 호송인원은 보안 및 안전성을 감안하여 각 군 규정에 별도로 정한다.

(다) 수송 중 특별한 보호조치 및 취급을 요구하는 위험물자 호송은 전문지식을 구비한 장병을 임명하여 안전호송에 차질이 없도록 한다.

(라) 탄약을 호송하는 호송병에게는 탄약호송의 중요성과 수송 중 조치사항을 철저히 교육하여 안전호송에 만전을 기한다.

(2) 도착 후 조치

(가) 탄약이 도착하면 다른 화물에 우선하여 하역한다.

(나) 하역한 탄약은 가급적 다른 화물과 격리 후 안전하게 탄약고에 입고한다.

(다) 하역 시 주의사항은 적재 간 주의사항에 준한다.

4. 수송수단별(輸送手段別) 안전기준

가. 차량수송(車輛輸送)

(가) 차량이 도착하면 작업 전 차량의 시동을 정지시킨 후 탄약을 적재한다.

(나) 모든 차량은 탄약의 적재 및 하화를 위한 정차 시 안전 제동장치를 실시하고 고임목을 추가 설치해야 한다.

(다) 탄약적재 차량에는 적재한계량의 초과적재를 금지하며 유동방지 대책을 강구해야 한다.

(라) 탄약적재 차량의 적재함에는 인원의 탑승을 금지한다.

(마) 탄약적재 차량의 전, 후, 좌, 우 4면에 폭발물 간판을 부착한다(백색바

탕/적색글씨, 60cm×30cm).

(가) 부착방법

1) 차량일 경우 매 차량별 전, 후, 좌, 우 4개를 부착한다.

2) 화차일 경우 1량 이상이 연결되면 화차별 좌, 우 측면에 2개를 부착하고 맨 앞과 끝 양쪽에 2개를 부착한다.

차량적재

(바) 탄약적재 시 무게중심을 고려 균형된 적재를 실시하고 혼합적재 기준을 준수하여 적재한다.

(사) 탄약적재 차량은 출발 전 아래사항을 재확인 및 점검한다.

(가) 임무수행에 필요한 연료 충만 및 누출여부

(나) 전조등 및 각종 신호등 정상여부

(다) 윈도우 브러쉬 및 경적 상태

(라) 조향 및 제동 장치 작동상태

(마) 소화기 비치상태(10형, 2개)

(아) 탄약 적재 시 적재함 내에 안정되게 적재해야 하고, 수송 중 반드시 적재함을 닫아야 한다.

(자) 포장이나 탄약이 손상되거나 충전물이 누출된 탄약은 적재 대상에서 제외하고 규정에 의한 조치를 실시한다.

(차) 탄약 수송차량의 운전병은 아래 기준에 따라 선발한다.

(가) A급 운전병

(나)음주, 흡연 등으로 운전에 영향을 정도의 경험이 없는 자

(다) 시력장애가 없는 자

(라) 책임감이 투철하고 신원이 확실한 자

(카) 10시간 이상 주행 시 탄약을 수송하는 군용차량의 운전병은 보조 운전병을 동반해야 한다.

(타) 탄약 수송차량 운전석에서의 흡연을 금하며, 공로나 고속도로 상에서 탑승자 없이 차량을 방치해서는 안 되며 교외나 도심지 공로상에 주차를 금지한다.

(파) 차량이동 시 차량 간 안전거리는 91m 이상을 유지해야 한다.

(하) 탄약을 수송하는 모든 차량은 탄약 적재 전에 적재 전 검사를, 탄약을 하화하기 전에 하화 전 검사를 받아야 한다.

(거) 차량은 소화기, 모래주머니, 고임목 및 OVM공구 등을 비치해야 한다.

(너) 차량수송 간 호송 책임자를 임명, 운용하며 이동 간 운전병 및 차량의 상태를 수시 점검하고 이동상황을 보고해야 한다.

차량수송

나. 철도수송(鐵道輸送)

(1) 화차 적재용량을 초과해서 적재해서는 안 되며 적재작업 후에는 견고한 화차 칸막이를 설치해야 한다.

(가) 화차가 도착하면 포장된 탄약을(형태와 무게고려) 알맞게 운반할 수 있는지를 결정하는 내부 및 외부검사를 철저히 해야 한다.

(나) 차체 내부는 탄약적재 이전에 빗자루로 깨끗이 쓸어내야 하며 못 또는 볼트는 손상되지 않도록 제거하고 제동장치를 설치한 후 바퀴엔 고임목을 설치해야 한다.

(다) 인원이 화차내부 혹은 하부에서 작업 시에는 신호기를 화차의 양쪽 끝이나 연결차량의 틈을 이용 설치해야 한다.

(라) 보호조치 후에는 화차를 움직이거나 연결시켜서는 안 된다. 탄약이 완전히 적재 완료 이전에는 화차를 움직여서는 안 된다.

(마) 적재작업 완료시에는 적재 탄약을 알맞게 결박하고 받쳐주어야 하며 화차는 규정대로 봉인되어야 한다.

(2) 탄약 적재 및 하화작업이 시작되기 전에 모든 탄약을 수송하는 화차는 철저히 검사해야 한다. 이러한 검사는 지시된 검사수준에 따라 시행하며 기술적으로 인가된 검사관에 의해 실시한다.

① 모든 화차는 내부 및 외부 양측을 모두 검사해야 한다. 외부검사는 수송용 차량이 개방되지 않았는지 확인할 수 있도록 적송서류 검증 및 화차 봉인상태, 훼손여부 등을 검사한다. 내부검사는 탄약의 확인 화차 칸막이 및 지지대 상태와 이물질 유무 점검 등을 포함한다.만일 차량의 봉인이 훼손되었거나 적송서류와 화물수량이 서로 일치하지 않으면 해당차량은 세부적 검사를 할 수 있도록 즉시 검사장으로 이동시켜야 한다.

② 무게화차에 적재한 화물은 내화성 방수포로 덮어야 하며 방수포는 로프를 사용해서 고정시킨다. 탄약적재 작업 시에는 탄약상태, 이물질의 유무, 화차 칸막이 상태 및 바닥상태 등을 점검해야 한다.

③ 탄약을 적재한 차량은 기관차로 움직이기 전에 공기 제동기를 연결하여 공기제동기가 양호한 작동상태에 있는지 확인할 수 있도록 시험해

야 한다.

④ 혼합적재 수송 시 탄약적재 및 수송대조표에 의하여 적재한다.

⑤ 화차 양수에 의한 규정된 호송병을 배치여부를 확인한다.

⑥ 수송 간 불안전 사항 발견 시에는 즉시 철도청(철도역)과 협조한다.

⑦ 탄약 수송화차는 하송역에서 하수역까지 직송함을 원칙으로 한다.

다. 기타 지역 및 상황에 따라 선택할 수 있는 수송수단으로서 항공 수송 및 선박수송 방법이 있다.

라. 수송안전 행정사항(行政事項)

① 탄약을 수령, 발송, 수송하는 부대장은 위험 물자를 취급하는 모든 관계 요원들에게 안전교육을 실시하여 안전사고가 발생하지 않도록 한다.

② 탄약을 발송의뢰 받은 수송관은 탄약의 성질, 취급상의 주의사항 등을 파악하여 발송전에 저장조치, 포장표지, 수송선단의 선정 및 획득, 적재 등 적절한 발송조치를 취해야 한다.

③ 발송 증빙서상에 탄약의 안전포장 및 적재를 확인하고 탄약 취급 전문요원(검사관)의 서명날인을 받아야 한다.

④ 탄약 발송과 동시에 탄약의 내용, 수송수단, 발송일시, 도착예정 일시 및 취급 상 주의사항 등을 수령부대로 통보해야 한다.

⑤ 발송부대에서 탄약의 발송통보를 접수하면 수령부대는 탄약 수령에 필요한 철저한 준비를 해야 한다.

5. 취급장비(取扱裝備) 안전

가. 개요

탄약을 취급하는 방법에는 병력에 의한 도수취급 방법과 지게차나 거양장비 등 취급 장비를 이용하는 방법 등 크게 두 가지로 구분할 수 있다. 이러한 장비의 사용은 시간, 경제성, 장소, 수량 및 공간 등을 고려하여 사용여부를 결정하게 된다.

(1) 취급 장비 운용목적(運用目的)

(가) 물품운반, 퇴적, 보호
(나) 시간과 노력의 절약

(2) 장비사용의 이점(利點)

(가) 경비절감(經費節減)

1) 재물조사 및 생산통제 비용절감
2) 능률적인 공간 활용
3) 물자 취급의 최소화
4) 생산 시간의 주기 단축
5) 화물단위 대형화로 취급 비용 절감
6) 단위 면적당 또는 고용인당 생산성을 증가시켜 저장경비 절감

(나) 생산성의 향상(向上)

1) 인력 취급 장비 및 기계의 협조된 취급
2) 일정률의 생산성 보증
3) 효율적인 물자의 통제와 인력의 사용
4) 물자 취급의 자동화
5) 기계장치의 효율적인 활동 등에 의해서 생산성 향상

(다) 작업 조건의 향상

(라) 분배의 향상

나. 취급 장비의 종류(種類) : 부록 #5 참조

(1) 지게차

파레트 탄약은 중량을 고려 취급 시 지게차를 사용하는데 지게차는 무거운 물자를 취급하는 장비로서 11,000파운드, 6,000파운드 및 4,000파운드 등 3가지 종류가 있으며 경유를 사용하는 일반용과 배터리를 사용하는 전동용 지게차로 구분된다.

(가) 사용 전 점검사항

1) 정기적인 예방정비는 수송부에서 실시하지만 감독자는 사용 전, 사용 간, 사용 후 안전점검을 필히 실시해야 한다.
2) 장비 사용 간 오일누출, 오일 및 구리스 주유상태를 확인한다.
3) 소화기 휴대 및 사용가능 여부를 확인한다.
4) 적재 하중시험 여부(시험일자, 차기 예정일자)를 확인한다.

(나) 사용 간 유의사항

1) 유도병을 임명, 운용하며 유도병은 운전자가 잘 보이는 안전한 곳에 위치하여 수신호를 실시한다.
2) 지게차에 운전자 이외에 인원이 탑승해서는 안 된다.
3) 파레트 탄약을 인양 시 무게 중심을 확인 후 들어 올린다.

4) 탄약을 적재한 지게차는 탄약고 내에서 급회전을 해서는 안 된다.
5) 유도병은 지게차의 안정적인 유도는 물론 수시 퇴적의 안전상태를 확인한다.
6) 작업 반경 내 인원을 통제하고 인양 능력을 고려 취급한다.
7) 파레트와 포크간격 일치 및 작업 시 가용 라이트를 점등 후 탄약을 취급한다.

(2) 거양장비(擧揚裝備)

거양장비는 화차나 차량에 탄약을 적재 또는 하화하기 위해 가장 많이 사용되는 탄약취급 장비중의 하나로 $2\frac{1}{2}$톤 및 5톤으로 구분되며 지게차와 마찬가지로 사용 전, 사용 간, 사용 후 안전점검이 실시되어야 한다.

(가) 사용 전 점검사항

1) 작업 전 검사관에 의한 사전 안전점검을 실시한다.
2) 유압장치 이상유무 및 오일누출 여부를 확인한다.
3) 호이스트의 와이어 및 견인 고리의 파손여부(사용스링 포함)와 붐대가 휘거나 손상여부 및 안전걸쇠 유무를 확인한다.
4) 적재시험 및 자격자에 의한 조작여부를 확인한다.

(나) 사용 간 유의사항

1) 장비의 능력을 초과하는 중량의 인양을 금지한다.
2) 적재 및 하화 시 파레트의 중심을 스링[40]으로 정확히 건 다음 인양을 실시한다.
3) 작업에 참여하는 모든 인원은 표시를 명확히 하기위해 황색 안전모를 착용한다.
4) 장비와 지면은 수평을 유지하며 안전 작키[41]를 설치 후 장비를 사용한다.

(40) **스링** : 파레트 탄약을 인양 시 사용되는 장구로서 체인, 와이어 및 탄두 스링 등이 있다.
(41) **안전작키** : 거양장비에 설치된 장치로서 파레트 탄약을 취급 시 하중을 지지하는 기능을 수행함.

5) 차량 및 화차에 탄약을 적재 및 하화 시 정확한 지점에 정차시킨다.

6) 적재차량의 머리부분이 장비의 회전반경 쪽으로 정차하는 것을 금지한다(적재함 방향으로 정차).

7) 작업 반경 내 불필요한 인원 및 장비의 접근을 금지한다.

8) 붐대의 각도(45°~70°) 및 길이는 적절 범위 내에서 장비를 조작한다.

9) 붐대와 인양 대상물이 수직이 된 상태에서 들어올린다.

10) 유도병은 장비 조작병이 잘 보이는 곳에서 신호를 한다.

11) 작업 간 스링의 꼬임 및 후크 안전핀의 결합상태를 수시로 확인한다.

12) 유도병, 인양조 및 하화조로 편성 운용한다.

13) 탄두파레트 취급시 탄두스링을 모두(6개) 사용하여 인양한다.

(3) 스링

거양장비를 이용 탄약을 적재 및 하화 시 장비에 설치 사용되는 스링은 와이어, 체인, 금속그물, 자연 및 합성섬유 등 여러 종류가 있으나 우리는 주로 와이어 및 체인스링을 주로 사용한다.

(가) 사용 전 점검사항

1) 와이어의 파손 여부로서 한줄 전체에 6가닥 이상 끊기거나 꼬인

가는 줄 하나에 3가닥 이상이 끊기면 교체되어야 한다.

2) 와이어 끝의 연결 또는 크림프의 부식이나 파손여부와 와이어 끝의 크림프는 직경의 6배 이상 되어야 하며, 연결된 부위는 줄 직경의 4배 이상 길이만큼 꼬여 있어야 한다.

3) 와이어가 심하게 비틀리거나 변형되지 않아야 한다.

4) 체인으로 된 줄에 심한 마모, 이완, 변형 및 용접 점에 이상이 있을 경우 사용을 해서는 안 된다.

(나) 사용 간 유의사항

1) 일반 체인으로 파레트 탄약을 인양할 때 파레트가 안전하게 걸려 인양 간 이탈되지 않도록 하여야 한다.

2) 탄두 스링을 이용할 경우 탄구전 고리에 각각의 줄의 무게가 균등하게 분할되도록 하여야 한다.

3) 스링의 길이가 짧아 45° 이상 벌어지게 인양되어서는 안 된다.

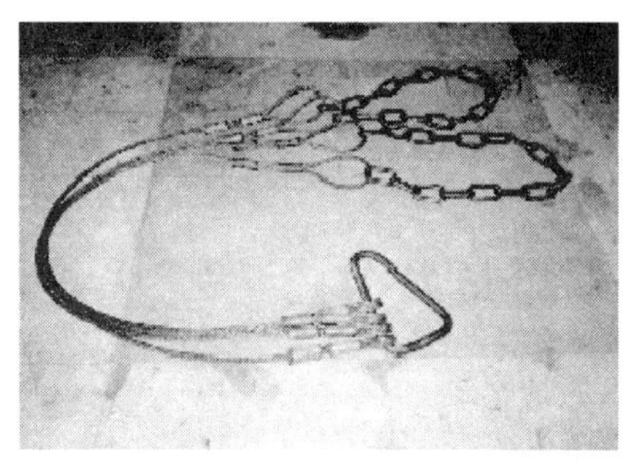

체인스링

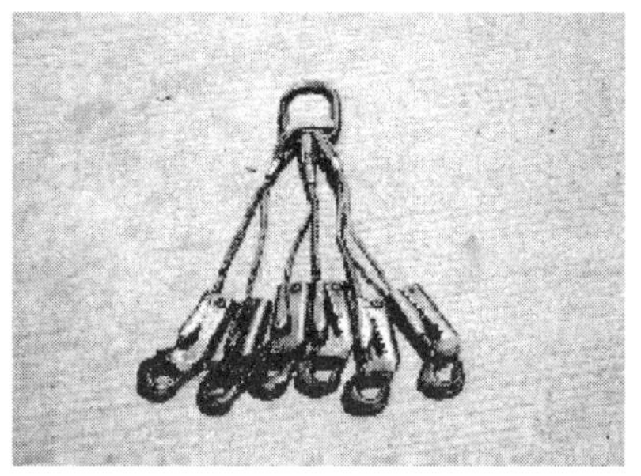

탄두

제4장

대미협력 업무 및 탄약취급

Section 01 SALS-K 업무

1. 개요

가. 탄일탄약보급체제

탄일탄약보급체제에 관한 협정이 체결된 배경은 미군이 한국에 대한 전쟁예비탄약지원의 무상 군원이 '60년대말 종결 되고, '70년대 동북아 전략변화와 NATO군 감축에 따라 탄약 재배치[42] 및 주한 미군 철수에 따른 저장관리 부담 절감, 한국측의 탄약 확보 요구에 의해 '72년 3월에 SALS-K 체제를 미 8군사령관이 한국 국방부장관에게 제안하면서 시작되었다. '72~'74년에 한·미 실무 협상을 실시 하여, '74년 11월 25일에 SALS-K 합의각서 및 의정서를 체결하였다.

나. 협정요지

협정요지를 살펴보면 미군이 한국군의 전투용으로 지정된 WRSA 탄약을 한국군 전투예비 확보량에 부족한 탄약을 한국내 비축토록 하고 미국은 소유 탄약의 재산권을 계속 행사하며, 한국측은 필요한 저장시설 제공과 주한 미 지상군 재래식 탄약에 대해 야전 근무 제공을 지원 하는 내용으로 하고 있다.

(42) 미군의 한국내 탄약저장 : 미군은 전 세계에 자국 보유의 탄약을 저장 관리하고 있는데, 유럽, 한국, 일본, 동남아, 증동 등이다. 전 세계의 미군 보유재고의 약 20%를 한국에 저장하고 있다(http//www. osc.army.mil).

다. 양국의 의무 및 권한(합의서)

(1) 한국정부

(가) 미군 소유탄약 근무(수입,하역, 수송, 저장, 정비, 처리, 경계)제공
(나) 탄약정비용 특수장비 제공(정비공장)

(2) 미국정부

(가) 한국군 전투예비 부족량 한반도 저장
(나) 미군 탄약시설을 단계적으로 한국군에 이양
(다) 미군 전용탄약에 제공한 근무(저장, 정비, 처리, 수송)분야 용역비 지급
(라) WRSA 탄약 소유권 주장(탄약검사, 재산계정 및 재물조사)

라. 양국의 의무 및 권한(의정서)

(1) 한국정부

(가) WRSA 탄약 저장 시설 제공
(나) 미군 규정에 의한 탄약 수령, 저장, 정비, 처리, 수송 및 경계 업무 수행
(다) 미군 전용 탄약에 제공한 근무 분야 용역비 청구/수령
(라) WRSA 탄약 해외 반출시 저장 기간 저장 관리비 미측에 청구

(2) 미국정부

(가) 탄약의 수령, 저장 및 수송시 소요되는 물자제공
(나) 한반도 내 저장중인 WRSA 탄약이 해외 반출시 미 전용 탄약으로 판단 저장비 지급

2. 한 · 미 연합 군수 협조기구

전시에 한 · 미군간의 장비/물자 보급, 탄약, 유류, 의무 및 수송, 기타 근무지원 등을 상호지원하고 협조하기 위해 한 · 미 연합군수지원 협조기구가 창설된다. 이 기구는 유엔사/연합사 지위 및 통제 예규에 의거 운영하고 있으며, 년 1회 이상 지원 및 협조절차 연습을 실시하고 있다.

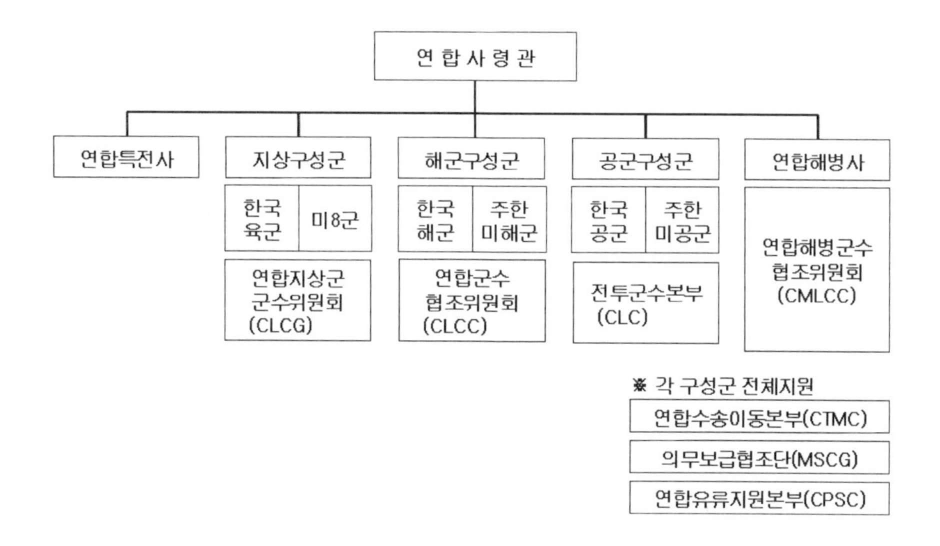

한 · 미 연합군수협조기구

가. 탄약업무협조체제

한미 양국의 원활한 탄약지원업무 수행을 위한 비 상설기구로 한 · 미연합탄약협조단(CACG)이 편성되며 육본 군수참모부와 미 8군 군수처가 주무 부서로서, 양국의 탄약지원업무를 상호 협조한다. 전시에는 한국내의 탄약 재보급업무를 관장하기 위해 연합지상군군수위원회(CGLC) 탄약반을 설치 운영하며 미 19전구지원사령부와 탄약지원사령부 재고통제처 실무요원으로 편성된다. 우방국을 위한 전투 예비탄약 및 미군 전용 탄약관리를 위해 미 6

병기대대 예하에 지역별 병기중대가 편성되어 있으며, 한국군 탄약창 및 탄약보급소와 탄약 야전근무에 관한 제반사항(수송, 저장, 검사, 정비, 처리, 항만하역)을 상호 협조한다.

나. 연합탄약협조단(CACG)

연합탄약협조기구는 전 · 평시 구성되는 기구로서 단장은 한국 육군군수참모부장과 미 8군 군수참모부장이 임무를 수행하며, 양측단장은 국가를 대표하게 된다. 또한 동수의 부단장 및 보좌관으로 구성되며, 분기 1회 한 · 미 협조회의를 하게 된다.

(1) 주요기능

1) 모든 SALS-K 규정 승인/시행상 문제해결
2) 제공된 근무에 대한 보상요율 협상/분쟁조정
3) 한 · 미 육군의 합동조사위원회 임명
4) 초과 정박 및 위반사항 발생비용 지불책임 결정
5) 웨이바 상신서 승인/불승인

다. 미 19전구지원사령부

미 19전지사는 주한 미 8군에 대한 군수지원업무를 수행하는 부대로서 탄약관련 임무로서는 6병기대대를 통하여 한국군과 업무협조를 실시한다.

(1) 임무

1) 한국내 저장중인 WRSA 탄약 및 미군 전용탄약에 대해 SALS-K 규정에 의거 업무관장
2) WRSA 탄약 분배 및 적송 승인
3) 미군 전용 탄약에 대한 한국군 용역 지원에 대한 보상

라. 연합군지상군군수위원회(CGLC)

연합지상군군수위원회는 전시 자동적으로 설치되어 연합사 군수 참모부장의 통제를 받아 임무를 수행하게 된다.

(1) 주요기능

1) WRSA 탄약 이양협조, 해외탄약 도입/확인
2) 지상구성군 사령관에게 5종 보급에 관한 현황 제공
3) 지상구성군사령관 설정 운선순위에 따라 탄약보급분배 협조
4) 미 19전구지역사령부의 물자관리본부와 한국 탄약지원사령부로부터 받은 일일 탄약현황 평가
5) 한국과 미국의 지상탄약 대한 재고현황 유지
6) 지속일수를 포함하는 재래식 탄약재고 현황보고서와 대형 로켓트/유도탄 현황 보고서 등의 필요한 현황을 한미 연합사/지상구성군사, 주한 미군사/미8군 사령부와 한국육군본부 군수참모부에 제공
7) 한 · 미 지상군 부대들을 위한 5종 탄약소요의 지원을 위한 적절한 재보급 조치를 위하여 재고현황을 미 육군 태평양 사령부에 발송하고 5종 탄약 자산의 도입을 추적하고 협조한다.

마. 6병기대대

미 19전지사 예하 6병기대대는 6개의 병기중대로 편성되어 있으며 병기중대는 검사반, 기록계정반으로 편상되어 한국군 탄약창 및 탄약보급소에 보유중인 WRSA 탄약 및 USA 전용탄약에 대한 업무를 상호 협조하게 된다.

(1) 임무

1) 검사반 : 미국 소유 탄약의 상태 결정을 미국인 또는 미국의 직접 고용인들에 의하여 미국규정에 의거 판정한다.
2) 재산계정 및 재물조사반 : 미국 소유 탄약 재산계정 및 재물조사를 기본적으로 미국측 책임하에 실시한다.

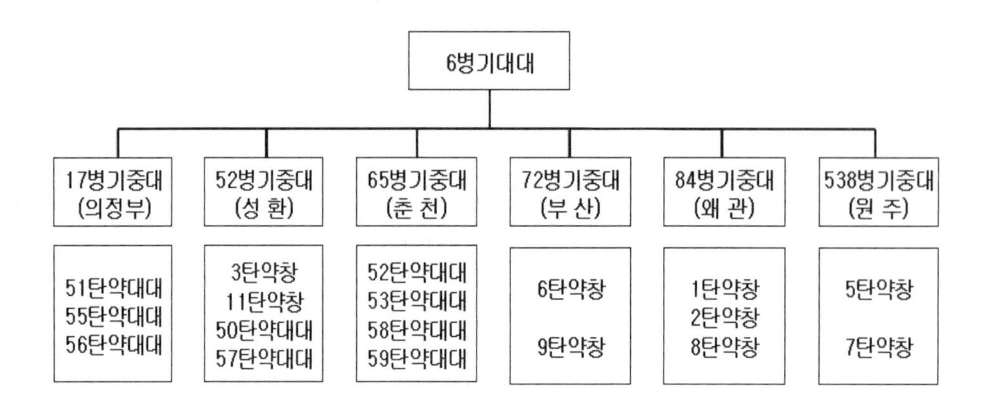

미 6병기대대 편성 및 업무담당부대

3. SALS-K 예산

가. 근무지원비

(1) SALS-K 합의각서 및 의정서에 의해 미 전용탄에 대해서만 관리비용을 부담하고 있으며

(2) 보상요율은 매년 1회 한국군 요구에 의거 미측과 협상에 의하여 체결되며 미8군 군수 참모부장과 한국육군 군수참모부장이 협정서에 공동 서명함으로서 효력이 발생한다.

(3) WRSA탄약은 구좌 전환/해외 반출시 미측 에서 보상한다.

(4) 근무지원비 보상 방법은 '75. 8~'81. 9월까지는 한국내 저장된 탄약의 저장 톤수를 기준하여 적용 하였으나 '81년부터 현재까지는 실 취급실적 즉 부두취급비, 수송비, 저장비, 정비비. 처리비 등으로 보상 요율을 책정하여 보상하고 있다.

(5) 수행하는 근무 분야별 세부적인 보상 요율은 표에서 보는바와 같이 부두취급 수입 · 처리에 있어서는 톤당 요율을 적용하여 보상받고 있다.

구분	부두취급		수송(㎞)		저장 (S/T)	정비(인시)		처리 (S/T)
	수입 (S/T)	적송 (S/T)	철도	육로		미군 시설	한국 시설	
요율($)								

(6) SALS-K 보상금 운영은 '93년부터 율곡예산으로 편성 집행하였으며 '79년까지는 탄약사에서 주관하여 직접 수령 후 수입 대체 경비로 사용하였고 '80~'92년까지는 국고 불입되어 군수사 업무 주관으로 운영유지 예산편성 및 집행으로 사용 하였으며 또한 SALS-K보상금 자금원은 '75~'89년까지는 미 연방 예산으로 '90년 이후로 한국측 방위비 분담에 따른 방위비 분담금 중에서 행정 결산으로 처리하고 있다.

(7) SALS-K 보상청구 자료의 종합 및 보고는 탄약사 연합지원과에서 매분기 단위 실시중이며, 탄약사와 미 19전지사가 상호 확인 대조후 육군본부로 보고한다.

4. SALS-K 사업

가. 개요

보상비 범위내에서 탄약관리 및 탄약지원사업에 투자하며, 매년 육군본부로부터 하달되는 사업방향을 참고하여 부대별로 전체적인 사업요소를 판단하고 우선순위를 설정하여 반영시킨다.

나. 사업편성 지침

(1) 탄약관리지원과 관련 사업예산 편성

(2) 장 · 단기 계획에 의한 소요제기 및 반영

다. 사업편성 중점(범위)

(1) 탄약저장지역 재해예방/경계시설 보강
(2) 탄약고 및 정비/검사시설 개선
(3) 탄약 취급장비 및 물자 확보
(4) 안전여건 보장
(5) 시설보강 : 탄약고, 정비공장, 검사장, 처리장, 경계, 관리, 기간(도로 등)시설 등
(6) 장비/물자 획득 : 취급장비, 정비, 검사, 관리장구류, 장비 유지비
(7) 관리활동 : 기술관리(호송, 이동정비, 처리), 탄약업무 추진(지도방문, 시범 등)

라. 보상요율 포함용역

구분	근무 지원	보상비 적용
부두 취급비	◦ 선박하선, 적재 : 진해↔저장부대간 수송을 위한 차량/화차적재, 하화작업	◦ 하역비, 인건비, 간접비 ◦ 전기, 연료비, 시설 유지비
수송비	◦ 철도(화차), 육로(트럭)에 의한 탄약이동	◦ 철도수송 – 기본료(거리당 요금, 입환/전용료) – 호송비,물자대,철도보수대,간접비 ◦ 육로수송 – 기본료,호송비,간접비
저장비	◦ 저장시설 경계, 고내이관, 개적작업, 창·보급소 내에서 검사표본 이관, 시설유지 ◦ 적송탄약의 탄약고로부터 출고, 적재 ◦ 수입(수령)탄약의 수송수단으로부터 하차 및 탄약고 입고	◦ 인건비, 장비 사용료, 정비비 ◦ 간접비
정비비	◦ 정비탄약의 해당 시설내 이관(수송)취급 ◦ 탄약 정비작업 수행	◦ 인건비, 전기, 연료비/장비사용료 ◦ 수송비, 간접비
처리비	◦ 처리수행시설–처리장까지 탄약이관, 취급 ◦ 처리작업 수행/처리전 분해 작업시 정비요율 추가 ◦ 처리탄 타시설 수송시 수송비 별도 계산	◦ 인건비, 장비 사용료 ◦ 행정비, 간접비

※ 수송비 산정시 미군차량 이용 내용 제외

마. 사업 추진 순기

(1) 육본의 지침 하달 : 6~7월

(2) 소요제기: ASP/창→군/탄약사→육본육본의 지침 하달 : 10월

※ 제대별 차상급 부대 심의 후 제기

(3) 육본심의/국방부 보고 : 년말~익년 초

(4) 사업집행 : ~12월

5. 업무수행절차

가. SALS-K 용역비 청구절차

(1) 시행부대인 탄약창 및 탄약보급소는 탄약고에 저장중인 탄약이 미측 계획에 따라 한국군 요원에 의해 부두 취급, 정비, 비군사화 및 수송이 되어 지면 해당 작업이 완료됨과 동시에 한측의 작업 책임관(정비 : 정비대장, 비군사화 : 처리반장, 수송 : 운영과장)이 소정양식(미 육군 양식 DD1348-1)에 서명하여 해당 미 병기중대에서 나온 미측 입회관의 확인 서명을 받아둔다. 특히 탄약 수송시에는 출발지 부대에서 한,미 책임관이 서명한 송증을 탄약과 함께 도착지에 보내어 도착지 부대의 인수관이 서명한 후 다시 출발지 부대로 보내진 것을 종합 한다.

(2) 탄약저장에 관한 확인서는 탄약사령부가 이미 보유하고 있는 미군 소유 탄약 현황을 참고로 하여 저장 일수 및 톤당 저장에 관한 보상요율을 곱하여 금액을 산출하여 작성한다. 이렇게 하여 한,미 책임관이 확인한 증빙서류를 매분기별로 집계하여 한측은 탄약사령부로, 미측은 미 19지전사로 제출한다.

(3) 탄약사령부와 미19지전사는 탄약저장에 관한 보상청구 증비서류를 작성

하여 추가 한 후 해당 분기의 업무대행 총 보상 청구금액을 종합한다.

(4) 종합된 현황은 해당분기의 근무 실적에 대한 누락, 계산착오, 중복 등의 방지를 확인하기 위하여 탄약사령부 및 미 19전지 해당실무자가 직접 상호 확인 후 탄약사 재고통제처장과 미 19전지사 탄약처장이 서명하여 육본 및 미 8군으로 제출한다.

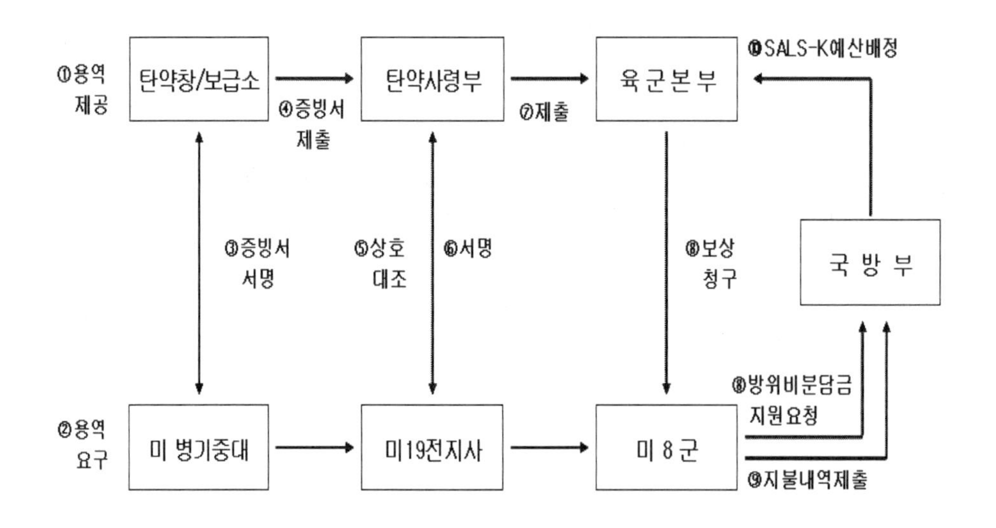

용역지원 보상절차

(5) 육본은 접수한 보상 청구 현황을 미 8군에 재출하여 근무지원 용역에 관한 보상금을 요청하면, 미 8군은 증빙자료를 최종 확인한 후 '90년도 이전 까지는 육군본부 본부사령부실의 경리과로 보상금을 입금 후 국방부 군수국 협력과로 이 사실을 통보 하였으나, '90년도 이후부터는 한국이 주한미군의 방위비 분담금을 지원하게 됨에 따라, 미 8군이 SALS-K 보상금 청구 금액을 한국 국방부에 요청하게 되었다.

(6) 국방부는 이 금액을 방위비 분담금으로 미 8군에 직접 지불하지 않고 대신 육본에 탄약분야 예산으로 배정한다.

이것이 SALS-K 예산이다.

나. SALS-K 사업추진절차

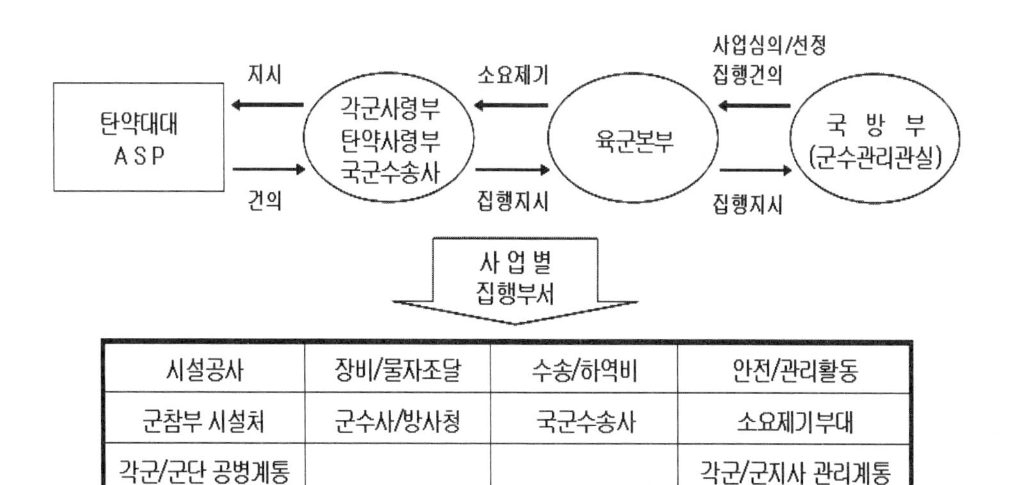

시설공사	장비/물자조달	수송/하역비	안전/관리활동
군참부 시설처	군수사/방사청	국군수송사	소요제기부대
각군/군단 공병계통			각군/군지사 관리계통

사업추진절차

MEMO

Section 02

군사시절 보호법 및 민원업무

1. 개요

군사시설을 보호하고 군 작전의 원활한 수행을 위하여 필요한 사항을 규정함으로써 국가 안전보장에 기여하고자 군사시설 보호법을 개정하였다.

가. 관련 법령

법령 및 규칙	개정일	비고
군사시설보호법	2003. 5. 15	법률 제068670호
군사시설보호법 시행령	2003. 8. 16	대통령령 제18085호
군사시설보호법 시행규칙	2003. 8. 14	국방부령 제00554호

나. 용어 정의

(1) 군사시설 : 진지, 장애물, 기타 군사목적에 직접 사용되는 시설

(2) 군사시설보호구역 : 군사시설을 보호하고 군 작전의 원활한 수행을 위

하여 국방부 장관이 설정하는 구역

(3) 민간인 통제선 : 고도의 군사 활동 보장이 요구 되는 군사분계선에 인접한 지역 에서 군 작전상 민간인의 출입을 통제하기 위하여 국방부 장관이 군사분계선의 남방(15㎞이내)지역에 설정한 선(線)

(4) 관할부대장 : 일정한 지역에 대한 작전책임과 그 지역 안에 설정된 군사시설 보호구역을 보호·관리하는 책임을 지고 있는 부대의 장(작전부대장)

(가) 육군 : 여단장급 이상 지휘관

(나) 해군 : 전단장급 이상 지휘관, 해병은 여단장급 이상

(다) 공군 : 비행단장급 이상 지휘관

(5) 관리부대장 : 관할부대장의 작전 책임지역 안에 주둔하고 있으나 지휘계통이 상이해 해당 지역의 관할 부대장과 독립 하여 일정한 범위의 군사시설 보호구역을 보호·관리 하는 책임을 지고 있는 부대의 장(탄약대대장, 탄약창장)

2. 제대별 군사시설보호 소관업무

가. 국방부/합참

(1) 군사시설보호법·시행령·시행규칙 검토·보완

(2) 군사시설 보호구역 설정·해제 및 변경

(3) 군사시설보호 관련법에 대한 검토 및 건의

(4) 군사시설 보호구역 설정의 적절성 검토 및 건의

(5) 군사시설 보호구역의 검토 후 확정

나. 야전군 사령부(1·3군), 군수사

(1) 지역내 군사시설 보호구역 설정, 변경, 해제, 건의

(2) 군사시설 보호구역 심의위원회 운영

다. 군지사 · 탄약사(관할부대)

(1) 군사시설 보호법 관련 민원업무 접수 · 처리
(2) 지역내 군사시설 보호구역 심의 및 적절성 검토
(3) 보호구역법 관련업무 관할 행정기관 협조/결과통보
(4) 군사시설 보호구역 위원회 운영

라. 탄약창 · 탄약대대(관리부대)

(1) 군사시설 보호구역 설정 건의 및 관리
(2) 군사시설 보호구역내 불법사항 감독 및 행정기관 통보
(3) 군사시설 보호구역 표찰 · 표석관리

3. 군사시설보호구역의 설정

가. 군사 시설보호 구역의 설정

(1) 국방부장관은 합동참모의장의 건의에 따라 보호구역 또는 민간인 통제선을 설정 또는 변경할 수 있다.
(2) 국방부장관은 군사시설의 철거, 작전환경의 변화/기타의 사유로 보호구역 또는 민통선을 유지할 필요가 없을 경우에는 지체 없이 이를 해제하여야 한다.
(3) 민통선을 보호구역안에 설정하되 군사분계선의 남방 0㎞이내 범위안에서 설정

(4) 보호구역 및 민통선의 설정은 군사 시설보호와 군사 목적 달성을 위하여 최소한의 범위에서 설정한다.

(5) 국방부장관은 보호구역이나 민통선을 설정·변경 또는 해제 하고자 할 때는 군사시설 보호구역 심의위원회의 심의를 거쳐야 한다.

나. 군사시설보호구역의 설정 범위

(1) 취락지역으로 관계행정기관의 장이 관할 부대장등과 협의하여 정하는 지역

(2) 국민의 안전의식 고취를 위하여 국가기관 또는 지방자치 단체가 개발하는 안보관광지역

(3) 통일의 기반조성을 위하여 국가기관이 지정하여 개발하고자 하는 지역 또는 남북교류·협력사업의 추진에 필요한 지역

(4) 국가기간사업 또는 지역사회 발전을 위하여 대규모 개발이 계획된 지역

(5) 기타 관할부대장의 건의에 의하여 군단장급 이상 지휘관이 인정하는 지역

(6) 진지·장애물과 같은 전투 시설물이 있는 지역은 관측과 사계 및 개인화기의 유효사거리 등

(7) 대공방호시설과 통신시설이 있는 지역은 장비운영과 시설보호에 지장이 없는 최소한의 범위

(8) 군용비행장과 비상활주로 및 사격장이 있는 주변지역은 항공기 운용과 사격안전에 지장이 없는 최소한의 범위

(9) 폭발물 관련 시설이 있는 지역은 폭발물의 안전거리를 초과하지 아니하는 범위

> 제기된 협의내용(위치)과 근처에 위치한 탄약고에 저장된 탄약의 종류, 위험급수, 폭약량에 따라 안전거리 설정

(10) 기타 군사시설이 있는 지역은 당해시설의 운용에 필요한 최소한의 거

리로서 울타리로부터 500미터 이내, 다만 취락지역은 울타리로부터 300미터 이내로 한다.

다. 군사시설보호구역 설정 절차

(1) 탄약부대(탄약창, 탄약중대)는 탄약고에 저장된 탄약의 위험급수 폭약량에 따라 안전거리를 고려 군사시설 보호구역을 설정하여 관할부대장(군지사, 탄약사)에 보고

(2) 관할부대장(군지사, 탄약사)은 군사시설 보호구역 설정을 위한 행정 기관장의 의결서를 첨부하여 운영위원회 의결을 거쳐, 군사령부 또는 군수사령부를 경우 합동참모부로 보고

구비서류 : 군사 시설보호법 시행규칙(제2조)

- 군사 시설 보호구역 및 군사시설 일람표
- 군사 보호구역 지형도
- 군사 보호구역 설정, 변경 또는 해지에 대한 의견서
- 관계행정기관의 장의 의견서

(3) 합참은 군사시설보호구역 심의위원회 의결을 거쳐 심의결과를 각군 및 군수사로 하달

(4) 하달된 군사시설보호구역에 대해 지역 행정기관과 작전 관할부대로 통보

(5) 탄약시설 부대장은 군사시설 표찰 또는 표석을 설치하여 지역내에 군사 보호구역을 관리 및 통제

(가) 표찰(가로 90cm, 세로 70cm, 백색바탕에 흑색 글씨)

경 고 문

1. 이 지역은 군사시설보호구역임
2. 이 지역 안에 출입하고자 할 때에는 관할부대장(관리부대장)의 허가를 받아야 함
3. 보호구역 안에서는 다음의 행위를 금지함
   가. 보호구역의 표지나 출입통제 표찰의 이전 또는 손괴
   나. 군사시설의 촬영 · 묘사 · 녹취 · 측량 또는 이에 관한 문서나 도화 등의 발간 또는 복제
   다. 통제보호구역 안에서 주택 기타 구조물의 신축, 또는 증축
4. 위 사항을 위반한 자는 법에 의하여 처벌함

관할부대장(관리부대장) 제○○○○ 부 대 장

4. 군사시설 보호구역 관리

가. 보호구역 관리사항

(1) 군사시설보호구역에 대해 표석, 또는 표찰은 300미터마다 설치

(2) 군사시설보호구역 출입은 읍 · 면 · 동장을 경유, 신청서를 관리부대장에게 신청하면 이를 지역 기무부대에 의뢰 출입여부를 신청인에게 통보(영농인)

(3) 관리부대장은 군사시설보호구역내에서 시설의 신축, 장애물 제거시 그 행위자 에게 행위의 중지를 명하고 관할 경찰서와 행정기관에 통보

나. 군사시설보호구역 안에서 허용 및 협의사항

국방부장관 또는 관할부대장은 관계 행정기관장이 규정에 의하여 폭발물 관

련 군사시설이 있는 보호구역 안에서 허가 또는 처분에 관하여 협의를 요청하면 아래사항에 대하여 특별한 사유가 없는 한 이에 동의하여야 한다.

(1) 기존주택의 경우에는 연면적 200제곱미터(61.7평)이하로서 지표면으로부터 높이 9미터이하인 범위 안에서 증축, 개축 또는 이전(해당지역 안에서 3년 이상 거주한 자)

(2) 토지수용법에 의한 공익사업중 철도, 도로, 교량, 및 하천에 관한 사업의 시행으로 철거되는 주택의 경우에는 철거 후 3년 이내에 행하는 연면적 200제곱미터(61.7평)이하, 지표면으로부터 높이 9미터 이하인 범위 안에서 이축(주택의 철거당시 해당지역에서 3년 이상 거주한자에 한하며, 폭발물 관련 군사시설로부터 기존의 위치보다 멀리 이축하여야 한다)

(3) 마을회관, 복지회관, 보건소, 농기구 수리소 등 공동 이용시설의 경우에는 연면적 660제곱미터(203.7평)이하로서 지표면으로부터 높이 9미터이하인 범위 안에서는 신축 · 개축 또는 이전

(4) 도시계획법 시행규칙에 의거 농림 어업 및 축산사업시설의 신축, 개축 또는 이전

5. 군사시설 보호구역 관련 민원업무 처리절차

가. 민원업무 처리

(1) 상급부대로부터 접수

※ 개인 · 관공서로부터 접수시 절차를 인식시킨 후 회송

(2) 민원제기 내용 · 위치 · 성격 · 판단

(3) 적절성 검토

(가) 설립된 군사시설 보호구역 내 · 외 확인

(나) 군사시설 보호구역 시행령 및 규정상 허용여부 확인

(다) 제기된 내용과 탄약저장의 위해 요소 발생 여부확인

(라) 제기된 내용과 최기 탄약고간 저장탄약의 위험급수 또는 폭약량에 따른 안전 이격거리 준수여부 확인

(4) 탄약부대 관련 민원 종류

(가) 주거용 건물 증 · 개축 및 신축 · 학교 · 관공서 신축

(나) 영농 및 축산시설(비닐하우스, 유리하우스, 축사)

(다) 공장 · 창고 · 숙박시설 · 상점

(라) 도로 · 철도 확장 및 신설

(마) 지하철 기지창 · 송전탑 · 쓰레기매립장, 소각장

(바) 공원묘지 · 납골공원 · 위락시설 · 골프장

나. 민원/협의 사항 처리 절차

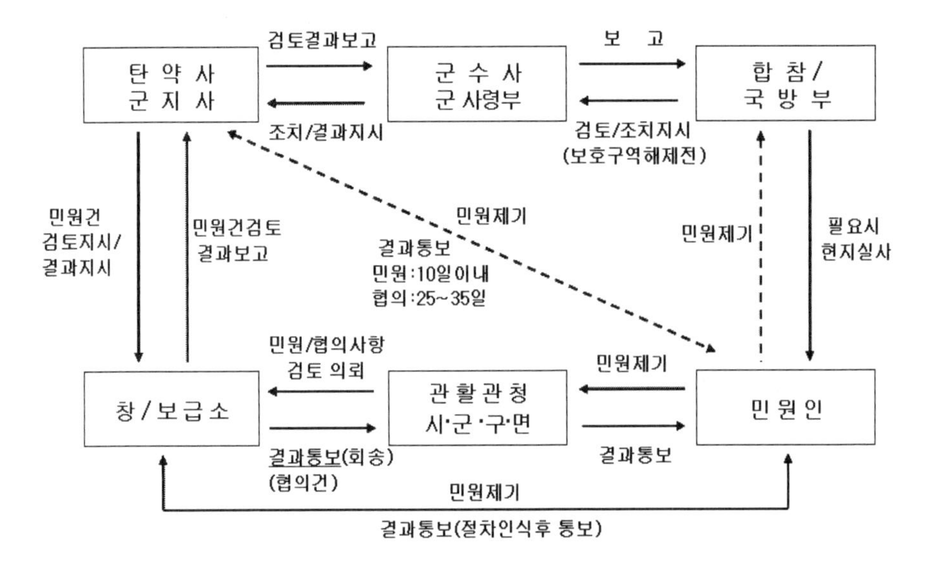

Section 03 탄약취급능력 판단

1. 개요

탄약 취급능력은 인원과 장비를 사용하여 타 시설의 탄약을 받아들이고 시설에 보유 중인 탄약을 피 지원부대 및 타 시설에 지원 하는 탄약 수입 및 불출 능력을 뜻하며, 효율적인 탄약 취급 작업을 시행하기 위해 대상 탄약고, 물량, 탄약팔레트 결속상태 및 작업장소의 여건 등을 고려하여 가용 인원과 장비를 적절하게 편성하고 운용계획을 수립하여 시행하여야 한다.

2. 탄약취급능력 판단

가. 가용인원 판단

(1) 현역 : 전시 및 평시 모두 탄약소대에 편제된 탄약취급병(2911)만 적용

(2) 근로자 : 육군인력 동원계획의 1종 동원 근로자 적용

(3) 손실인원

(가) 현역은 가용인원 판단시 행정손실(25%)과 기타손실(25%)을 적용한다.

(나) 근로자는 탄약취급 작업을 직접 하지 않는 인원(근무소대 및 작업조장 등)을 고려하여 기타손실(25%)만 적용한다.

나. 가용장비 판단

(1) 장비의 전 · 평시 가동률은 83%를 적용한다.

(2) 동원장비는 동원계획 일자를 기준으로 가동률을 차등 적용한다.

(가) 동원당일 : 50%

(나) 동원익일 : 100%

다. 작업시간(인력, 장비) : 평시(8시간)/전시(10시간)

라. 인원, 장비당 취급능력 기준

구분	시간당취급 능력(톤)	1일 작업시간		1일 취급능력(톤/일)	
		평시	전시	평시	전시
인력(명)	0.8	8	10	6.4	8
지게차	16	8	10	128	160
거양장비	27	8	10	216	270

3. 탄약취급단계 판단

탄약을 수입하고 불출하는 취급단계는 취급하는 장소의 여건과 취급형태를 고려하여 적용하며, 정상적인 탄약고와 하화장에서는 다음과 같이 적용한다.

가. 탄약고 저장탄약 불출

(1) 인력취급 : 비팔레트 탄약

(가) 육로 : 1단계(탄약고 출고 및 차량적재 동시 실시)

(나) 철로 : 2단계(탄약고 출고 및 차량적재, 차량하화/화차적재 동시실시)

(2) 장비취급 : 팔레트 탄약

(가) 육로불출 : 2단계(탄약고 출고, 차량적재)

(나) 철도불출 : 5단계(탄약고 출고, 차량적재, 하화장 이동 후 탄약하차, 지게차로 탄약이동, 화차적재)

나. 타시설 탄약수입

(1) 육로수입 : 1단계(차량하차 및 탄약고 저장 동시 실시)

(2) 철도수입 : 2단계(화차 하차 및 차량적재, 차량 하차/탄약고저장)

(3) 장비취급 : 팔레트 탄약

(가) 육로수입 : 2단계(차량 하화, 탄약고 내부 이동저장)

(나) 철도수입 : 5단계(화차 하화, 지게차로 임시저장소 이동, 차량에 적재, 탄약고 이동후 탄약하차, 탄약고 내부이동 저장)

다. 타시설로부터 수입된 탄약을 역변에서 직접 불출

(1) 피지원부대 탄약 수송차량 역변 대기시 : 1단계(화차에서 탄약하화와 동시에 피지원부대 차량에 적재실시)

(2) 역변에 임시저장 후 불출시 : 3단계(화차에서 탄약하화, 역변 저장소 운반(지게차), 피지원부대 차량에 적재)

4. 탄약취급능력 판단절차

가. 가용인원을 판단한다. 이때 장비가동률을 고려한 장비보조 소요인원을 포함

판단한다.

나. 가용장비를 판단한다.

다. 가용인원 및 가용장비 판단 결과를 토대로 취급능력을 판단한다.

라. 취급소요를 판단한다. 취급소요 판단시는 작업종류에 따른 취급단계를 고려하여야 한다.

마. 취급소요 대비 취급능력의 적절성을 판단한다. 특히 특정 취급단계에서 특정 장비 취급능력이 상이 할 때는 적은 능력을 기준으로 판단한다.

바. 전시 탄약취급소요 및 능력판단("예")

(1) ASP의 인원/장비현황(숫자는 가상의 숫자임)

인원(명)			장비(대)		
계	탄약취급병	근로자	계	지게차	유압크레인
56	26	30	5	2	3

(2) ASP의 취급대상 탄약 현황

구분	결속상태	내용	물량(톤)
계			450
수입 탄약	팔레트	역변직접불출 (화차 → 지원 대상부대 차량)	350
		역변 임시저장후 불출	100

(3) 풀이

(가) 취급소요 판단

구분	계	탄약현장불출	역변 임시 저장후 불출
취급소요	650톤	350톤 (350톤×1단계)	300톤 (100×3단계)

(나) 취급능력 판단

구분	계	인력 총 취급능력			장비 총 취급능력		
		소계	탄약병	근로자	소계	지게차	유압 크레인
내용	1,121톤	184톤	8톤	176톤	937톤	265톤	672톤

❖ 가용인원 및 취급능력 산출

- 탄약취급병 : 행정손실 및 기타손실 인원제외
  = 26명-(26×25%) = 19명
  = 19명-(19×25%) = 14명
  ※ 가용인원 14명에서 지게차, 유압크레인의 장비보조병은 제외
  = 14-[{(지게차2×2명)+(크레인3×4명)}×83%(장비가동률)] = 1명

❖ 근로자 : 기타 손실인원 제외

= 30-(30×25%) = 22명

❖ 인력 총 취급능력 : 탄약취급병 능력+근로자 능력

= (명×8톤)+(22명×8톤) = 8톤+176톤 = 184톤

❖ 가용장비 및 취급능력 산출

- 지게차 능력 = 2대×16대×10시간×83%(가동률) = 265톤
- 유압크레인 능력 = 3대×27톤×10시간×83%(가동률) = 672톤
- 장비 총 취급능력 : 937톤(지게차 265+유압크레인 672)

(4) 총 취급소요 대비 능력

구분	소요(톤)	능력(톤)	과부족(톤)
계	650	1,121	+471
인력	650	184	
장비		937	

사. 탄약취급시 준수사항

(1) 모든 탄약 취급은 장비나 공구 또는 도수로 취급하게 되며, 저장, 관리

간 안전을 보장하기 위해 아래와 같은 취급 유형별 안전 준수사항을 철저히 준수해야 한다.

(가) 탄약 취급안전(일반적 사항)

1) 탄약 취급시 감독 책임자를 임명, 통제하 실시한다.
2) 탄약 취급전 반드시 지휘관(자)에 의한 안전교육을 실시한다.
3) 탄약 저장지역 출입시 인화물질 휴대금지 및 통합관리(흡연장소 지정)한다.
4) 호기심에 의한 탄약 임의개봉, 분해, 충격 및 마찰을 금지한다.
5) 모든 인원의 안전 장구류 착용 생활화(장비 조작병 포함)한다.
6) 장비 취급시(지게차, 거양장비) 유도병을 운용한다.
7) 인가 공구사용 및 스파크성 공구 사용을 금지한다.
8) 우기 및 뇌우시 탄약취급 행위를 금지(로켓트 탄약, 크레모아 등)한다.
9) 야간에 탄약을 취급 할때는 인가된 조명기구만 사용한다.
10) 탄약취급 장소에 불필요 인원 통제 및 적정 인원을 편성한다.

(나) 비팔레트 탄약을 취급시 일반적으로 도수 취급을 하게 되며 아래와 같은 사항을 준수 하여야 한다.

1) 탄약 취급시 충격, 던지거나 굴리는 등 장난 행위를 금지한다.

가) 신체 주요 관절을 동시에 이용하여 취급시 각종 상해로 부터 예방한다.
나) 안전모, 안전화 및 보호장갑등 안전 장구류를 착용한다.
다) 탄약취급간 스파크(불꽃) 발생을 예방을 위해 인가공구 만을 사용한다.
라) 각 인원의 도수 취급 지양, 컨베이어롤러를 설치 사용한다.

① 설치 전 롤러 상태확인 하고 견고히 설치한다.
② 탄약의 중량을 고려 견고한 받침대를 사용(탄약상자 받침대 사용근절)한다.
③ 탄약상자의 떨어짐을 방지하기 위해 롤러 끝에 방지대를

설치한다.

④ 안정적 취급을 위한 적절인원을 편성, 운용한다.

(다) 팔레트 탄약은 중량을 고려 취급시 지게차를 사용하는데 지게차는 무거운 탄약을 취급하는 장비로서 11,000파운드, 6,000파운드, 4,000파운드 등 3가지 종류가 있으며, 4,000파운드는 일반용과 전동용이 있다.

1) 사용전 점검사항

가) 정기적인 예방정비는 수송부에서 실시 하지만 감독자는 사용전, 사용간, 사용후 안전점검을 실시 해야 한다.

나) 장비 사용간 오일누출, 오일 및 그리스 주유상태를 확인한다.

다) 소화기 휴대 및 사용가능 여부를 확인 한다.

① 적재 하중시험 여부(시험일자, 차기 예정일자)를 확인한다.

② 인양시험 결과 표기여부 및 자격 인원에 의한 운전여부 확인

라) 사용간 유의사항

① 유도병을 임명, 운용하며, 유도병은 운전자가 잘보이는 안전한 곳에 위치하여 수신호를 실시한다.

② 지게차에 운전자 이외에 인원이 탑승해서는 안된다.

③ 팔레트 탄약을 인양시 무게 중심을 확인후 들어 올린다.

④ 탄약을 적재한 지게차는 탄약고 내에서 급회전을 해서는 안된다.

⑤ 유도병은 지게차의 안정적인 유도는 물론 수시 퇴적의 안전상태를 확인한다(팔렛트의 2단 적재금지).

⑥ 작업 반경내 인원을 통제하고 인양능력을 고려 취급한다.

⑦ 팔레트와 포크간격 일치 및 작업시 가용 라이트 점등 후 탄약을 취급한다.

⑧ 탄약 · 건물 손상 예방을 위한 방지, 고임목을 설치한다. 탄약고내 작업간 매연 대책으로 탄약고내 작업시 전동지게차를 운용하며, 일반지게차 운용시 마스크 착용 및 주기적 휴식을 실시토록 한다.

(라) 화차나 차량에 적재 또는 하화하기 위해 가장 많이 사용되는 탄약 취급 장비로서 2 1/2톤과 5톤 유압크레인이 사용되며, 지게차와 마찬가지로 사용전, 사용중, 사용 후 안전점검이 실시해야 한다.

1) 사용전 점검사항

가) 작업전 검사관에 의한 사전 안전점검을 실시한다.

나) 유압장치 이상유무 및 오일누출 여부를 확인한다.

다) 호이스트의 와이어 및 견인 고리의 파손여부(사용슬링 포함)와 붐대가 휘거나 손상여부 및 안전걸이 유무를 확인한다.

라) 적재시험 및 자격자에 의한 조작 여부를 확인한다.

2) 사용중 유의사항

가) 장비와 지면의 수평을 유지(안전작키 사용)한다.

나) 차량 및 화차에 탄약 적, 하화시 적합한 지점에 정차한다.

다) 모든 작업인원 안전 장구류를 착용한다.

라) 적재차량의 머리부분이 장비의 회전반경 쪽으로 정차를 금지(적재함 방향으로 정차)한다.

마) 작업 반경내 불 필요 인원, 장비의 접근을 금지한다.

바) 붐대의 각도(45°~70°) 및 길이를 적절 범위 내에서 장비를 조작한다.

사) 붐대와 인양 대상물이 수직된 상태에서 들어 올린다.

아) 작업 유도병은 장비 조작병이 잘 보이는 곳에서 신호를 한다.

자) 작업간 슬링 RH임 및 후크 안전핀 결합상태를 수시 확인한다.

차) 유도병, 인양조 및 하화조를 임명 및 운용한다.

카) 탄두팔레트 취급시 탄두슬링을 모두(6개) 사용하여 인양한다.

(마) 탄약 취급시 사용되는 슬링은 와이어, 체인, 금속그물, 자연 및 합성섬유 등의 여러 종류가 있으나 군에서는 주로 와이어 및 체인슬링을 사용한다.

1) 사용전 점검사항

가) 와이어의 파손 여부로서 한줄 전체에 6가닥 이상 끊기거나, RH인 가는 줄 하나에 3가닥 이상이 끊기면 교체되어야 한다.

나) 와이어 끝의 연결 또는 클램프의 부식이나 파손여부와 와이어 끝의 클램프는 직경 6배 이상 되어야 하며, 연결된 부위는 줄 직격의 40배 이상 길이만큼 꼬여 있어야 한다.

다) 와이어가 심하게 꺽이거나, 변형되지 않아야 한다.

라) 체인으로 된 줄에 심한 마모, 이완, 변형 및 용접점에 이상이 있을 경우 사용을 해서는 안된다.

2) 사용 중 유의사항

가) 일반 체인으로 팔레트 탄약을 인양할 때 팔레트가 안전하게 걸려 인양 중 이탈되지 않도록 하여야 한다.

나) 탄두 슬링을 이용할 경우 탄구전 고리에 각각의 줄에 무게가 균등하게 분배되도록 하여야 한다.

다) 슬링의 길이가 짧아 45° 이상 벌어지게 인양되어서는 안된다.

5. 관리요소/관심사항

가. 철도 적송시 5단계 적용

(1) 전시 일자별 적송물자를 계속적으로 불출시에는 차량에서 곧바로 화차에 적재가 불가능하므로 5단계 취급을 적용한다.

(2) 각 보급소별 일자별 물량을 화차장에서 분류 후 적재하는 것으로 고려한다.

나. 취급능력 부족시 조치

(1) 초기단계 취급소요가 적은 군단 후방지역 탄약중대 또는 ASP에 의한 보강 지원 방안을 강구

(2) 탄약창은 창 전체 적송물량을 고려 중대별 임무조정 또는 보강지원으로 해소방안 강구

(3) 탄약취급병(근로자 포함) 및 취급장비를 조정하여 취급능력 향상

(가) 탄약취급병에 의한 취급능력 보강은 미약하므로 취급능력 보강위주로 하고 편제부족소요는 동원계획에 반영하도록 한다.

(나) 취급장비조작병 및 운전병을 추가 반영함으로서 장비 운용 시간을 증대할 수 있다. 즉 운전병과 조작병수를 2배 추가할 경우 장비능력도 배가된다.

(다) 취급소요 부족에 대한 제대별 보강방안

1) 야전 탄약중대 : 인원과 장비 동시 보강

※ 불출대상 탄약의 팔레트화 여부를 고려하여 결정

2) 기지탄약중대 : 장비위주 보강(노무자 감소, 장비 증가)

※ 창별 취급소요 대 능력에 따라 반영

다. 작업간 분야별 책임관 임명

임무수행시 분야별 책임관을 임명하여 업무의 능률성과 안전사고 예방 및 각종 문제점 도출 보완과 각관의 책임을 부여 하여야 한다.

(1) 감독관 임명/임무

(가) 임무수행 장소마다 감독관 임명(탄약고, 화차장, 기타)

(나) 임무수행 전 안전교육 실시

(다) 임무수행 장소 이탈금지

(라) 임무수행 시간 준수(휴식시간, 일정시간 등)

(마) 임무수행 병사 신상파악 철저

(바) 임무수행 장소로 보행 시 감독관 직접인솔 군기확립

(2) 각관 임무(예)

구분	내용
임무수행 총감독관	• 임무수행 총 지휘감독 - 장교 또는 선임군무원으로 임명(간부) - 임무수행 장소를 순회하면서 총괄적인 감독 - 임무수행시 미비점, 규정 불이행 등을 적발하여 안전일지에 기록, 지휘보고 하여 시정토록 조치 - 긴급조치사항 시행 - 화차장 감독관은 당일 화차 취급 전 분야 책임 - 임무수행병 안전대책 강구 - 임무수행전 유압크레인, 후크, 슬링 등 점검
검사 과장	• 효율적인 임무수행을 위한 안전사항 점검 - 차량의 안전 점검(폭발물 간판, 소화기, 공구 등) - 안전 선거 안전 교육 실시 - 혼합 적재 확인 - 슬링, 후크, 사용 적절성 - 취급조의 적절한 편성 검토 확인
운영 과장	• 계획 수립/지휘 - 입·출고시 고내 임무수행 가능 판단 • 입고 : 공간 확보 • 출고 : 지게차 작업 가능판단 - 총감독관, 선탑자 사전 선발 - 신고전 총감독관, 선탑자, 운전병 교육 - 임무수행 장소 순회, 상황 판단 조치 - 차량 소요 판단하여 차량 신청 - 필요시 도로 안내병 배치 - 당일 기상상태를 고려하여 업무 판단 • 안개, 눈, 비, 강태풍시 - 호송병 선발 책임 • 호송병 임무수행/안전교육(화차 : 수송사) - 1차 : 운영과장 - 2차 : 창장 • 호송 구분 - 평시 : 자대 및 용역차량/화차 : 수송사 - 전시 : 차량(육로 호송중대)/화차(철도호송중대) • 전·평시 탄약호송 요원은 해당 부대장의 안전교육 및 신고 후 호송임무를 수행한다(화차호송 요원은 필요시 신고/교육실시).
탄약 중대장	• 능률적이고 신속 정확한 임무수행을 위한 사전 판단 - 취급조 편성 확인/안내 선서/교육 - 감독관 임명 - 안전 대책 강구 - 임무수행 장소를 순회하면서 미비점, 규정 미준수 시정 조치 - 임무수행병 작업 편성전 신상파악(신체 이상유무) - 운영과와 수시 연락으로 긴급 상항 조치 건의

선탑자	• 운행간 - 선탑자는 임무수행 구간을 명확하게 숙지 - 운행간 운전병과 잡담, 콧노래, 휘파람, 흡연, 독서 금지 - 운전병의 건강상태 사전 문의(선탑전) - 규정에 의한 속도 운행 - 운전병의 갑작스러운 신체 이상 및 긴급 상황시 조치 • 정지간 - 임무수행 장소 도착시는 선탑자 하차
선탑자	- 전 · 후 · 좌 · 우를 확인한 후 임무수행이 용이한 장소에 주차토록 유도 - 차량 주차시 필히 고임목 설치 - 적 · 하화시 선탑자 및 운전병은 하차 대기 ※ 임무수행 종료시 수송부까지 선탑하여 수송부 당일 감독관에게 이상유무 전달
차량 운행 중 감독관	• 차량 운행 감독 - 차량 운행 중 감독관은 수송부 요원 중 간부로 임명 - 임무수행 장소를 순회하면서 차량 안전점검 - 대 물량 취급차량 운행통제로 안전사고 예방 - 운행 중 규정외 행동을 적발되면 시정조치

라. 야전 탄약중대에서 탄약고 저장 탄약 중 팔레트 탄약은 대부분 지게차에 의한 탄약고에서 출고와 동시에 차량에 적재하여 취급단계를 축소하여 장비 투입대수 및 시간을 줄이는 경우가 많다. 또한 철도에 의한 팔레트 수입탄약은 5단계에서 2단계로 축소하여 저장하는 경우도 상당하다(유압크레인에 의한 하화 및 경자동차대대 차량적재, 탄약고 이동 후 탄약하차와 동시 탄약고 내부 이동 저장실시). 그러나 이는 장비의 종류에 따라 제한되고 탄약의 하화간 안정성에 문제가 있으므로 관리 및 감독시 유의하여야 한다.

마. 실제 취급능력과 일일 작업능력을 계산 및 비교하여 수입이나 불출에 적용해 보면 장비조작수의 숙련도와 탄약취급병의 기술수준에 따라 실제 취급능력은 차이를 나타낸다. 예를 들어 취급병의 수준이 저조할 때는 실제처리능력이 70% 정도일 수도 있고, 수준이 우수할 때는 처리능력을 120%이상 발휘할 때도 있다. 따라서 평시 장비 조작병에 대한 관심 및 교육훈련이 매우 중요하다.

제5장

부록 용어 및 약어

Section

01 용어해설

❖ 가용보급률(Available Supply Rate)

작전을 수행하기 위하여 일정한 기간 중에 허용된 보급한계량으로 탄약의 소모율을 말한다. 이는 소요량이 충분히 확보되어 통제보급률(CSR)을 적용하지 않을 때 사용된다.

❖ 가연성 물질

쉽게 발화되고 즉시 소각되는 연소성 물질이다.

❖ 거주건물(Inhabited Building)

작업장, 탄약고 또는 보조건물 이외에 전체 혹은 부분적으로 사람이 점유하고 있는 모든 건물 및 구조물 또는 교회, 학교 철도역 및 유사 운송시설, 상가, 극장, 공장, 정부시설 등과 같이 사람이 많이 모이는 건물, 구조물 또는 지역을 말하며 시설의 경계선도 거주건물의 가능지역으로 간주된다.

❖ 공로

도로, 철도 또는 선박이 항해할 수 있는 수로이다.

❖ 급수세분

파편 위험이 있는 1, 2급 탄약 중 단위발당 폭약량을 고려 구분한 결과이다.

❖ 탄약고간거리(Intermagazine Distance)

탄약고간에 허용되는 최소거리이다. 저장되는 탄약이나 폭발물의 양 및 형태 그리고 탄약고의 형태에 의해 결정된다. 탄약고간 거리를 유지함으로써 폭파시 폭풍(충격파)의 전파를 방지하고 파편에 대해서도 상당한 정도의 방호를 제공받게 된다.

❖ 개략개발계획서(ODP : Outline Development Plan)

무기체계의 연구개발 대상과제결정을 위하여 작성하는 문서이다.

❖ 개발계획서(DP : Development Plan)

개략개발계획서를 기초로 탐색개발 및 체계 개발단계에서 계획을 문서화한 것으로 국방과학연구소, 또는 개발대상 업체가 작성하며 탐색개발계획서와 체계개발계획서가 있다.

❖ 개수정비(Conversion, Repair Improvement)

탄약정비의 한 형태로서 기술요원에 의하여 일반지원시설부대에서 탄약을 분해하거나 조성품(組成品)을 교환 또는 제거하는 작업으로서 이는 탄약사령관이 작업을 인가하며, 대부분 탄약창급에서 이루어진다.

❖ 개인 보호 장구류

탄약정비 공장에서 작업자가 작업의 특성상 여러 가지 위험이 따르게 되며, 이러한 위험으로부터 보호받을 수 있도록 착용하는 안전화, 안전모, 방진마스크, 보안경, 안면가리개, 방열복, 전도성 신발 등을 말한다.

❖ 공로거리(Public Traffic Route Distance)

본 거리는 공로 및 철로와 폭발물 저장지역 사이에 허용되는 최소 안전거리로서 차량 및 화차가 충격에 노출되는 높이와 면적이 작고 일시적으로 정차한다는데 기초를 두고 주택거리의 60%를 적용한다.

❖ 구좌

평시 양질의 전투용 탄약을 확보 유지하기 위하여 보유하고 있는 탄약을 사용계획 또는 목적별로 용도를 설정한 탄약의 소재 구분을 말한다.

❖ 군수지원분석(LSA ; Logistics Support Analysis)

무기체계의 수명주기간에 걸쳐 군수지원요소를 확인, 소요량을 판단하며, 개발 및 분석, 구체화하는 활동으로 획득단계별로 주 장비 및 탄약의 지원체계를 결정하는 데 필요한 정보를 제공하며, 해당 무기체계의 운영유지비용을 최적화시키는 동시에 무기체계운용시 지속적인 군수지원이 이루어질 수 있도록 보장하는 종합군수지원업무의 실제적인 활동이다.

❖ 군수지원 요소

장비의 운영유지에 필요한 제반 군수지원사항으로 인력, 예산, 시설, 물자와 기술자료 및 교범, 군수제도 등이 포함된다.

❖ 규격서

제품 및 용역에 대한 기술적인 요구사항과 요구 필요조건의 일치성 여부를 판단하기 위한 절차와 방법을 서술한 문서를 말하며, 제품의 성능, 재료형상, 치수, 용적, 색채, 제조, 포장 및 검사방법 등이 포함된다.

❖ 기술시험 평가(DT : Development Test)

체계개발단계에서 제작된 시제품에 대하여 기술상의 성능(신뢰도, 정비성, 적합성, 호환성, 내환경성, 안정성 등)을 측정하고 설계상의 중요한 문제점이 해결되었는지를 확인 평가하여 무기체계 획득과정에 있어서 기술적 개발 목표가 충족되었는지를 결정하기 위하여 수행하는 시험평가를 말한다.

❖ 기술자료 묶음(TDP : Technical Data Package)

군에 소요되는 무기, 탄약의 품목 및 용역에 대한 기술적인 특성, 필수사항을 제작, 생산 및 조달이 적합하도록 완전하고, 명확하게 묘사한 기술자료로서 규격서, 도면, 품질보증보충교정(SQAP), 자료목록 등이 포함된다.

※ SQAP : Supplementary Quality Assurance Provision

❖ 내화성

철저한 화재 예방이 요구되는 장소에서 취급되는 보호장구, 자재 등에 연소성능을 억제하기 위하여 인화점 및 연소성질이 현저하게 떨어진 일종의 가연성 물질이다.

❖ 단위발당 폭약량

탄약에 충전된 주작약과 조성품에 포함된 폭약량을 합한 것으로 탄종별 폭약량은 탄약제원 목록을 통해 알수 있다.

❖ 목록화

표준화된 체계와 제도화된 절차에 따라 보급품에 대한 분류 및 식별, 품명 및 재고번호, 특성 및 관리자료 작성 등 일련의 과정을 말한다.

❖ 로트번호(Lot Number)

동일 제조회사로부터 나온 특정량의 탄약을 나타내기 위한 조번호로 제조되었을 때에 각 탄약의 몫에 대하여 부여하며, 동일의 제조자가 동일의 조건하에서 동일의 기능을 갖도록 제조된 탄약의 일정한량을 제조공장에서 부여하는 일련의 번호로서 제조순위, 저장편리, 품질향상을 위하여 사용된다.

❖ 무기체계

군사 운용목적을 달성하기 위하여 주무기, 탄약을 중심으로 구성된 인적 소요와 물적 요소의 총체이다.

❖ 미 국방성 탄약(식별) 부호(Department of Defense Ammunition Code, DODAC)

보급관리 과정에서 각종 탄약에 대한 식별의 용이성을 위해 미국방부에서 부여한 8자리 부호로서 그 구성은 크게 군급분류번호(연방보급분류 : FSC) 4자리와 국방식별 부호(DODIC ; Department of Defense Identification Code) 4자리로 구성된다. 예 1320-D548

❖ 미 국방성 식별부호(Department of Defense Identification Code, DODIC)

미 국방성 탄약식별기호로서 사용 및 시설부대에서 통상 DODIC 번호로 호칭한다. 예를 들면, A071 5.56㎜ 보통탄약 등이다(미국방부 탄약식별부호 참조).

❖ 분리벽

반대편에 있는 다량의 폭발물이 동시 폭발하는 것을 방지하기 위해 고안, 설치된 건물내부 벽이다.

❖ 비활성 탄약(Unactivated Munition)

탄체내부에 폭발물, 화학제등이 충전되지 않는 탄약이다.

❖ 사제 폭발물(Improved Explosive Device)

적이나 테러분자에 의거 임의로 고안되고 제조된 폭발물로서 그 재료는 군용 폭발물일 수도 있고 상용폭발물을 이용할 수도 있다.

❖ 선내거리(Intraline Distance)

폭풍효과로부터 건물보호가 예상되는 거리를 말하며 파편으로부터의 보호거리가 아니다. 일개 작업장 내에서의 두 건물간에 허용되는 최소거리 1·3급 및 1·4급을 제외한 모든 탄약과 폭발물은 1·1급으로 간주된다. 또한 선내거리는 폭발물 시설내에서 실제작업을 하고 있지 않는 어떤 특정지역 및 장소들을 분리하기 위해서도 사용된다.

❖ 소롯트 탄약

롯트(Lot)당 100발 미만의 고정식/반고정식, 박격포, 분리장전식탄이다.

❖ 수정작업(Modification)

도태탄약이 발생했거나 탄종별 저장수준이 불균형한 경우에 최초의 설계를 변경하고, 그 변경된 설계에 일치시키기 위하여 수행되는 작업으로 통산 개수 정비작업 범주에 속하며, 작업 후에는 형번호와 국방성 식별 기호(DODIC)가 변경된다.

❖ 악작용 탄약

사격, 기능시험, 검사, 정비, 저장 및 취급 중에 생기는 각종 폭발사고 및 불발 등 비정상기능이 발생하는 탄약을 말한다. 악작용탄약이 발생하면 발생부대는 신속한 방법으로 지휘계통과 지원시설에 긴급 보고하고 지원시설에서는 현장에 기술검사관을 파견하여 사고원인을 규명한 후에 정식 보고해야 한다.

❖ 안전장치(Safety Device)

탄약에는 사용자의 의사와 관계없이 자연 발사되는 위험을 방지하기 위하여 고안된 안전보장 장치로 수류탄 지뢰와 같은 탄약에는 안전핀, 대구경 탄두에는 평소에는 신관을 분리하여 관리된다.

❖ 양거리(Quantity Distance)

최소한의 안전을 유지하기 위하여 저장 또는 관리되는 폭발물질의 양과 규정된 방호형태를 확보하기 위하여 격리시켜야 하는 분리거리와의 관계를 말한다. 이는 적절한 양거리표에 도표화되어 있고 규정된 노출물에 적절하다고 생각되는 위험 수준에 기초를 두고 있다.

❖ 예방정비(PM : Preventive Maintenance)

탄약을 저장하거나 수불하는 과정에서 발견되는 경미한 결함에 대하여 취급 및 수송에 지장이 없도록 하고, 결함의 확대를 방지하기 위하여 실시하는 간단한 정비작업으로써 상태 변경 없이 수행된다.

❖ 운용능력 요구서(ROC : Required Operational Capability)

확정된 군의 소요제기 문서로, 무기 및 탄약의 필요성, 운용개념, 요구 성능과 제원, 전투발전요소(편성, 교리, 교육훈련) 및 종합군수지원 요소 등에 대한 군의 요구사항이 수록된 문서이다.

❖ 의제탄(Dummy)

탄약취급 절차를 교육하는데 있어서 위험을 배제하기 위하여 활성 탄약과 모양은 같으나 탄두의 충전물이 제거된 비활성 탄약이다.

❖ 이동정비(MM : Mobile Maintenance)

시설부대의 탄약 검사정비 요원이 사용부대를 방문하여 기본휴대량 탄약을 대상으로 경미한 결함을 교정하는 정비이다.

❖ 연쇄폭발

분리된 다량의 폭발물 또는 탄약의 기폭이 거의 동시에 일어남으로써 다른 양과 분리되지 않고 한꺼번에 폭발하는 것이다.

❖ **저장중 정비(MIS : Maintenance in Storage)**

시설부대에 저장중인 탄약에 대하여 취급 및 수송간에 발견되는 경미한 결함을 교정하여 취급 및 수송간 안전을 도모하는 정비이다.

❖ **저장탄약 신뢰성 평가(ASRP : Ammunition Stockpile Reliability Program)**

저장탄약에 대한 사용가능성(Serviceability), 안전성(Safety), 신뢰성(Reliability), 성능(Performance) 등을 평가하여, 탄약의 대체, 정비, 개수 및 보급결정을 위한 자료를 제공함으로서, 저장탄약의 신뢰성을 확보하고 군 전투력 향상을 위해 실시되는 종합적인 저장탄약 평가 시스템을 말한다.

❖ **정비작업요구서(DMWR : Depot Maintenance Work Requirement)**

탄약창에서 개수정비를 실시할 경우에 안전한 작업과 품질보증을 위하여 탄종별로 세부작업 내용과 절차, 안전사항, 합격기준 등을 구체적으로 명시한 탄종별 정비작업 지침서이다.

❖ **정상정비(P/P : Preservation and Packing)**

정상정비는 탄체 및 약협등이 발청된 탄약을 대상으로 제청, 재도색, 재표기, 재포장 작업을 수행하는 정비이며 로트통합 작업을 포함하여 수행한다.

❖ **집단폭발**

폭발의 원인이 제공 되었을 시 한 공간 내에 있는 모든 탄약이 동시에 폭발하는 현상(위험)이다.

❖ **최대가상사고(Maximum Credible Event)**

동일 탄종이 1회 폭발 시 동시에 폭발을 일으킬 것으로 예상되는 최대 폭약량이다.

❖ 탄약 및 폭발물

모든 탄약 품목이 포함되며 인명 및 재산에 잠재적이거나 실제적인 위험을 주는 관련 물질을 포함한다.

❖ 탄약고간 거리(Intermagazine Distance)

탄약고간에 허용되는 최소거리이다. 저장되는 탄약이나 폭발물의 양 및 형태 그리고 탄약고의 형태에 의해 결정된다. 탄약고간 거리를 유지함으로써 폭파시 폭풍(충격파)의 전파를 방지하고 파편에 대해서도 상당한 정도의 방호를 제공받게 된다.

❖ 탄약상태보고서(Ammunition Condition Report)

탄약 결함상태에 대한 상급부대의 조치를 결정하기 위하여 제원을 제공하는 보고서이며 주로 처리승인원자에게 처리 건의, 탄약 처리반에 처리의뢰 및 처리 결과 보고용으로 사용한다.

❖ 탄약정보체계(AIS : Ammunition Information System)

국방군수통합정보체계의 일환으로 신속/정확하고 연계성 있는 탄약업무 효율성 제고 및 탄약관리정보의 적시 지원으로 지휘관 및 관리자의 의사결정을 지원하기 위해 국방부통합사업으로 고속 국방정보통신망을 이용하여 기존 전산화 수준의 단편적인 자료처리 중심에서 제대별 유형별로 운용/관리/지휘정보의 체계로 향상시켜 원활하고 경제적인 군수정책을 지원할 수 있는 고도화된 탄약정보를 제공하기 위한 정보체계이다.

❖ 파편

탄약이 폭발되었을 때 화학적 혼합물 또는 기계적 조립물의 구성물질이 부숴진 것

❖ 포장재료

탄약포장 및 취급 안전을 위하여 사용되는 목재상자, 지환통, 철재용기 등의 물자

❖ 폭발물(Explosive)

포탄약, 박격포탄, 총류탄, 로켓트탄, 지뢰, 조명탄, 수중폭약 및 유도탄을 포함, 또는 연관성 있는 폭발성 부분품을 말함

❖ 폭발물 정찰(EOR, Explosive Ordnance Reconnaissance)

발견된 폭발물을 식별하고 위치를 표식하여 보호한 후 불발 병기 폭발물 발생 보고서를 통제반에 제출하는 행위

❖ 폭발물 처리(Explosive Ordnance Disposal)

폭발물. 발사된 불발탄. 유기탄 및 불량탄 등에 대한 검출, 식별, 평가 및 안전 조치를 하여 발견된 장소 또는 인가된 장소에서 처리하거나 또는 사용 불가능한 탄약, 위험하게 된 폭발물 등을 기폭처리, 소각처리, 분해 등의 방법으로 안전하게 처리하는 것을 말한다. 이는 통상 폭발물처리반에 의해 처리한다.

❖ 폭발물 처리반(Explosive Ordnance Disposal Team)

폭발물 전문교육을 받은 요원으로 편성된 부대로서 폭발물의 설치, 제거 및 해체등의 업무를 수행함

❖ 폭발물 처리절차(EODP, EOD Procedure)

폭발물을 처리하는 규정된 작업단계와 절차

❖ 혼합저장

위험증가 없이 함께 저장 가능한 품목들 간에 적용되며, 혼합 저장 허용도표를 기준으로 저장한다.

Section 02 약어해설

❖ AA : Ammunition Allocation, 탄약할당

❖ ABL : Ammunition Basic Load, 탄약기본휴대량

❖ AC : Active Component, 현역

※ Reserve Component, 예비군

❖ AC : Hydrogencyanide(Blood Agent, 혈액작용제)

❖ ACC : Ammunition Condition Code, 탄약 상태기호

❖ AD : Air-Droppable, 투하탄약

❖ ADAM : Air Defense Antimissile, 방공 미사일 요격용 탄약

❖ ADAM : Area Denial Artillery Mine, 대인지뢰(살포식 지뢰)

❖ AGM : Air-to-Ground Missile, 공대지 미사일

❖ ALLOY : 합금

❖ AMCOM : (US Army) Aviation and Missile Command, 미 항공미사일 사령부

❖ AMMO : Ammunition, 탄약

❖ AMSTAT : Ammunition Status Report, 탄약현황보고서

❖ AO : Area of Operation, 작전지역

❖ AP : Armor Piercing, 철갑탄

❖ APC : Armor Piercing Capped, 철갑모탄

❖ APDS-T : Armor-Piercing, Discarding Sabot-Tracer, 쌔보트형 철갑 예광탄

- APE : Ammunition Peculiar Equipment, 탄약 특수장비
- APERS : Anti Personnel, 대인탄약
- APERS-T : Anti Personnel-Tracer, 대인예광탄약
- APFSDS-T : Armor-Piercing, Fin-Stabilized, Discarding Sabot- Tracer, 대전차 쌔보트형 날개 안정 철갑탄약
- API : Armor Piercing Incendiary, 철갑소이탄약
- APT : Armor Piercing Tracer, 철갑예광탄약
- AR : Army Regulaion, 육군규정
- ASL : Authorized Stockage List, 인가저장목록
- ASP : Ammunition Supply Point, 탄약보급소
- AT : Anti Tank, 대전차 탄약
- ATACMS : Army Tactical Missile System, 미 육군 전술미사일체계
- Ball : 보통탄약
- Bandoleer : 탄대
- BAO : Brigade Ammunition Officer, 미 여단탄약장교
- BB : Base Bleed, 항력감소
- BBU : Base Bleed Unit, 탄저부항력 감소장치
- BCLST : Bar Code Laser Scanner Terminal(s), 바코드 레이져 스캐너 장치
- BE : Base Ejection, 탄저방출
- BD FUZE : Base Detonating Fuze, 탄저신관
- BIDS : Biological Identification Detection System, 생물학 식별 탐지시스템
- BLAHA : Basic Load Ammunition Holding Area, 기본휴대량 불출 대기지역
- BLNK : Blank, 공포탄약

- ❖ BLSA : Basic Load Storage Area, 기본휴대량 저장지역
- ❖ BSA : Brigade/Battalion Support Area, 여단/대대 지원지역
- ❖ Bomb : 투하탄약
- ❖ Booster : 전폭화약
- ❖ BX : Box, 상자
- ❖ C4I : Command, Control, Communication, Computer, and Intelligence
- ❖ Candle Light : 촉광
- ❖ CAL : Caliber, 구경, 구경장
- ❖ CARC : Chemical Agent-Resistant Coating, 화학작용제 내구 코팅
- ❖ Campaign : 전역
- ❖ Canister : 산탄
- ❖ C & P : Component and Packaging, 구성품 및 패키지
- ❖ Cartridge Case : 약협(탄피)
- ❖ Chain of Command, 지휘계통
- ❖ Chain of Logistics Support, 군수지원계통
- ❖ Cluster : 다발, 묶음
- ❖ CBI : Clean Burning Igniter, 점화약
- ❖ CE : Chemical Energy, 화학에너지, 화학에너지 탄약
- ❖ CEA : Captured Enemy Ammunition, 노획 적성탄약
- ❖ CEE : Captured Enemy Equipment, 노획 적성장비
- ❖ CEM : Captured Enemy Materiel, 노획 적성물자
- ❖ CHG : Charge, 작약(장약)
- ❖ CINC : Commander In Chief, 총 사령관

❖ CLGP : Cannon-Launched Guided Projectile(Copperhead) 포발사식 유도탄약

❖ CMCC : Corps Movement Control Center, 군단 이동관리반

❖ CMMC : Corps Materiel Management Center, 미 군단 물자관리본부

❖ CNTR : Container, 컨테이너

❖ CO : Commander, Commanding Officer, 지휘관(자)

❖ COMMZ : Communications Zone, 병참지대

❖ CONUS : Continental United States, 미 본토

❖ CONUSA : Continental United States Army, 미 본토 육군

❖ CON : Contingence, 임시불출

❖ Core : 관통자

❖ CRDBD : Cardboard, 마분지, 판지

❖ CSR : Controlled Supply Rate, 통제보급률

❖ CP : Concrete Piercing, 콘크리트 관통

❖ CP : Command Post, 지휘소

❖ CSB : Corps Support Battalion, 미 군단 지원대대

❖ CTG : Cartridge, 완성탄약

❖ CTN : Carton, 마분지

❖ DAO : Division Ammunition Office(r), 사단 탄약사무소(장교)

❖ DDESB : Department of Defense Explosives Safety Board, 미 국방성 폭발물 안전 위원회

❖ DEMO : Demolition, 폭약

❖ DETECHREP : Detailed Technical Report, 상세 기술보고서

❖ Detonator : 기폭화약

- ❖ DISCOM : Division Support Command, 미 사단지원사령부
- ❖ DIVARTY : Division Artillery, 사단 포병
- ❖ DMMC : Division Materiel Management Center, 미 사단 물자관리 본부
- ❖ DMWR : Depot Maintenance Work Requirement, 창정비 작업요구서
- ❖ DOD : Department Of Defense, 미 국방부
- ❖ DODAC : Department Of Defense Ammunition Code, 미 국방성 탄약 기호
- ❖ DODIC : Department Of Defense Identification Code, 미 국방성 식별기호
- ❖ DP : Dual-Purpose, 이중목적
- ❖ DS : Direct Support, 직접지원
- ❖ DU : Depleted Uranium, 열화우라늄 탄약
- ❖ Dummy : 모의탄약
- ❖ Drill : 훈련탄약
- ❖ EAC : Echelon Above Corps, 군단상급(이상) 부대
- ❖ Effective Killing Radius : 유효살상반경
- ❖ ED : Emergency Destruction, 탄약긴급파괴
- ❖ EOD : Explosive Ordnance Disposal, 탄약처리반(폭발물처리반)
- ❖ Expulsion Charge : 방출화약
- ❖ FASCAM : Family of Scatterable Mine, 살포식 지뢰체계
- ❖ F/C : Fiber Container, 지환통
- ❖ FEDLOG : Federal Logistics Record
- ❖ Fin : 날개
- ❖ Firing Device : 발화장치
- ❖ Fixed Ammunition : 고정식 탄약

- ❖ FM : Field Manual, 야전교범
- ❖ FRAG : Fragmentation, 세열
- ❖ FSB : Forward Support Battalion, 미 전방지원대대
- ❖ FTX : Field Training Exercise
- ❖ FY : Fiscal Year, 회계년도
- ❖ G4 : Division Logistics Staff, 군수참모
- ❖ GCCS-Army : Global Combat Support System-Army
- ❖ Grain : 그레인(0.065g)
- ❖ Green Bag : 녹색약포
- ❖ Grenade : 유탄
- ❖ Grommet : 탄대보호환
- ❖ GS : General Support, 일반지원
- ❖ Guided missile : 유도탄약
- ❖ Gun : 직사포
- ❖ Gyro : 자이로(자세조절기)
- ❖ HC : Aluminum Zinc Oxide Hexachloroethane(Chemical Smoke), HC 연막제
- ❖ HC : Hazard Class, 위험급수
- ❖ HE : High Explosive, 고폭탄약
- ❖ HEAT : High Explosive Anti Tank, 대전차 고폭탄약
- ❖ HEDP : High Explosive, Dual Purpose, 이중목적 고폭탄약
- ❖ HEI : High Explosive Incendiary, 고폭 소이제
- ❖ HEI-T : High Explosive Incendiary-Tracer, 고폭 소이예광제
- ❖ HEMTT : Heavy Expanded Mobility Tactical Truck, 미 고기동성전술차량

❖ HEP : High Explosive Plastic, 교화성 고폭탄약

❖ HEP-T : High Explosive Plastic-Tracer, 교화성 고폭예광탄약

❖ HERA : High Explosive Rocket Assisted, 라켓 보조 고폭탄약

❖ HG : Hand Grenade, 수류탄약

❖ HN : Host Nation, 우방국

❖ HNS : Host Nation Support, 우방국 지원

❖ HOB : Height of Burst, 폭발고도

❖ HOW : Howitzer, 곡사포

❖ HVAP : Hyper Velocity Armor Piercing, 초고속 철갑탄약

❖ HVTP : Hyper Velocity Target Practice, 초고속 표적 연습탄약

❖ IAEA : International Atomic Energy Agency, 국제 원자력기구

❖ ICM : Improved Conventional Munition, 개량된 재래식탄약

❖ Ignition Cartridge : 점화약통

❖ ILLUM : Illuminating, 조명탄약

❖ INCD : Incendiary : 소이탄약

❖ LMTV : Light Medium Tactical Truck, 경 전술차량

❖ LOC : Line Of Communication, 병참선

❖ MCL : Mission Configured Load, 임무형 적재

❖ METT-TC : Mission, Enemy, Terrain, Troops, Time Avail-able, and Contractors on the battlefield(미)

❖ MHE : Material Handling Equipment, 물자 취급장비

❖ MICLIC : Mine Clearing Line Charge

❖ Mine : 지뢰

❖ MLRS : Multiple Launch Rocket System, (대구경)다련장로켓

❖ MMC : Materiel Management Center, 미 물자관리 본부

❖ MOADS : Maneuver Oriented Ammunition Distribution System, 미 기동지향 탄약분배 시스템

❖ MOADS-PLS : Maneuver Oriented Ammunition Distribution System- Palletized Load System, 미 파렛트화 적재-기동지향 탄약분배시스템

❖ MOPP : Mission Oriented Protective Posture, 임무형보호태세

❖ MOS : Military Occupational Specialty, 군사 주특기

❖ MOT : Mortar, 박격포

❖ MSR : Main Supply Route, 주 보급로

❖ MTL : Metal, 금속

❖ MTSQ Fuze : Mechanical Time Super Quick Fuze, 기계식 시한 순발신관

❖ NEQ : Net Explosive Quantity, 기준 폭약량

❖ NICP : National Inventory Control Point, 미 국가재고통제소

❖ OBS : Obsolete, 폐기탄약

❖ OD : Olive Drab, 국방색

❖ OPLAN : Operational Plan, 작전계획

❖ OPSEC : Operational Security, 작전보안

❖ PD Fuze : Point Detonating Fuze, 탄두신관

❖ PETN : Pentaerythrite Tetranitrate(Explosive), 탄약 충진물

❖ PIBD Fuze : Point Initiating Base Detonating Fuze, 탄두발화 탄저신관

❖ POC : Point Of Contact, 연락처

❖ POD : Port Of Debarkation, 양륙항

- POE : Port Of Embarkation, 적송항
- PSI : Pound per Square Inch, 파운드/인치2 (lbs/in2)
- PKG : Package, 포장
- Primer : 뇌관
- Projectile : 탄두
- Propelling Charge : 추진 장약
- Pusher Plate : 밀판
- PWP : Plasticized White Phosphorus, 교화성 백린 연막탄약
- PYRO : Pyrotechnics, 신호조명탄
- QA : Quality Assurance, 품질보증
- QASAS : Quality Assurance Specialist(s)(Ammunition Surveillance) 탄약품질보증 전문검사관
- Q-D : Quantity-Distance, 폭약 양거리
- RAP : Rocket Assisted Projectile, 라켓 보조 고폭탄약
- RAAM : Remote Anti Armor Mine, 대전차 지뢰(FASCAM의 일종)
- RG : Rifle Grenade, 총류탄
- RD : Round, 발
- RDX : Rapid Detonating Explosive(Cyclotrimethylenetrinitramine)
- RF : Radio Frequency, 무선주파수
- RIC : Routing Identifier Code, 경로식별기호
- RKT : Rocket, 로켓
- ROD : Report Of Discrepancy, 하자보고서
- Rotating Band : 탄대

- RR : Recoilless Rifle, 무반동총
- RSOI : Reception, Staging, Onward movement, and Integration, 한반도 미 상륙/전개훈련
- SASO : Stability and Support Operations, 안정지원작전
- SB : Supply Bulletin, 보급회보
- SD : Self-Destruction, 자폭
- Semi Fixed Ammunition : 반고정식 탄약
- Separated-Ammunition : 분리식 탄약
- SITREP : Situation Report, 상황보고서
- SMK : Smoke, 연막탄약
- SOFA : Status Of Forces Agreements
- SOP : Standing Operating Procedure, 부대 예규
- SQ : Super Quick : 순발
- Supplementary Charge : 보조작약
- TB : Technical Bulletin, 기술회보
- TECHINT : Technical Intelligence, 기술정보
- TEA : Triethyl Aluminum, 탄약 내부 충진물 종류
- Theater of Operation : 작전 전구
- TM : Technical Manual, 기술교범
- TNT : Trinitrotoluene
- TO : Theater of Operation, 작전전구
- TOW : Tube-launched, Optically-tracked Wire guided missile system. 대전차 유도탄 일종

❖ TP : Target Practice, 연습탄약

❖ TPCSDS-T : Target Practice Cone-Stabilized Discarding Sabot-Tracer, 콘 안정식 쌔보트형 연습예광탄약

❖ TP-T : Target Practice-Tracer, 연습 예광탄약

❖ TSA : Theater Storage Area, 미 전구저장지역

❖ TSC : Theater Support Command, 전구지원사령부

❖ TSQ : Time Super Quick Fuze, 접근신관

❖ TTP : Trailer Transfer Point, 미 탄약 트레일러 전환소(지점)

❖ TP : Target Practice, 연습탄약

❖ UIC : Unit Identification Code, 부대 식별부호

❖ UXO : Unexploded Ordnance, 불발 폭발물

❖ W : With, 포함(결합)

❖ WDN Box : Wooden Box, 나무상자(목상자)

❖ whd : warhead, 탄두

❖ WHNS : Wartime Host Nation Support, 전시 우방국 지원

❖ White Bag : 백색약포

❖ WMD : Weapons of Mass Destruction, 대량 살상무기

❖ wnd : wooden, 나무로 만든

❖ W/O : Without, ~이 없는, 불포함(제거)

❖ WP : White Phosphorus, 백린 탄약

❖ WRBND : Wire-Banding, 철사로 감긴

❖ WTRPRF : Water-Proof 방수의

MEMO

Section 03

양식 소개 (저장도표, 탄약고제원카드)

1. 탄약고 비치서류

가. 탄약고 비치서류 유지 지침

(1) 지원 부대

탄약 및 폭발물이 저장된 모든 탄약고에는 아래 서류들을 비치하여 항상 최신 현황을 유지 · 활용해야 한다.

(가) 저장 도표

1) 탄약고 내 탄약저장 배치 축척 도면
2) 탄약저장 제원 및 총괄적인 탄약재고 현황
3) 탄약고내 전면 중앙에 비치

(나) 탄약고 제원카드

1) 매 퇴적별 탄약재고 변동 현황
2) 각 퇴적 마다 작성 유지
3) 퇴적 전면에 비닐봉투에 넣어서 비치

(다) 폭발물 저장 및 취급 일반지침

폭발물 저장 및 관리를 위한 일반지침으로서 폭발물 취급요원이 용이하게 식별할 수 있는 곳에 게시

(2) 사용 부대

(가) 탄약고 단위로 탄약을 보유하는 부대는 지원부대 지침을 적용한다.

(나) 소량의 탄약을 보관하고 있는 소규모부대(중 · 소대, 기타 분견대 등)는 부대 실정에 부합되도록 상급부대의 예규의 의거 운용한다.

나. 탄약고 비치서류 작성 요령

(1) 저장 도표

(가) 저장 도표

1) 양식명

PLANOGRAPH SHEET

2) 승인번호

SAKS-K FORM 1901R

3) 작성 지침

가) 축척 사용

- 지상대형 〈35.4m×12m〉 : 1/120 축소
  1칸 크기 : 가로 2.4㎝×세로 2.5㎝, 총 48칸
- 지상중형 〈24.4m×12m〉 : 1/90 축소
  1칸 크기 : 가로 3.3㎝×세로 3.3㎝, 총 32칸
- 이루그형 〈24.4m×7.6m〉 : 1/90 축소
  1칸 크기 : 가로 5.4㎝×세로 4.2㎝, 총 10칸

나) 작성 방법

- 각 퇴적의 크기 및 벽체 · 퇴적간 이격거리를 해당비율로 축소하여 명시함.
- 퇴적 도형 중앙에 탄약목록의 퇴적번호를 기록함.
- 탄약의 대량 변동 시 해당 축척에 의하여 수정되어야 함.

다) 작성방법 예시

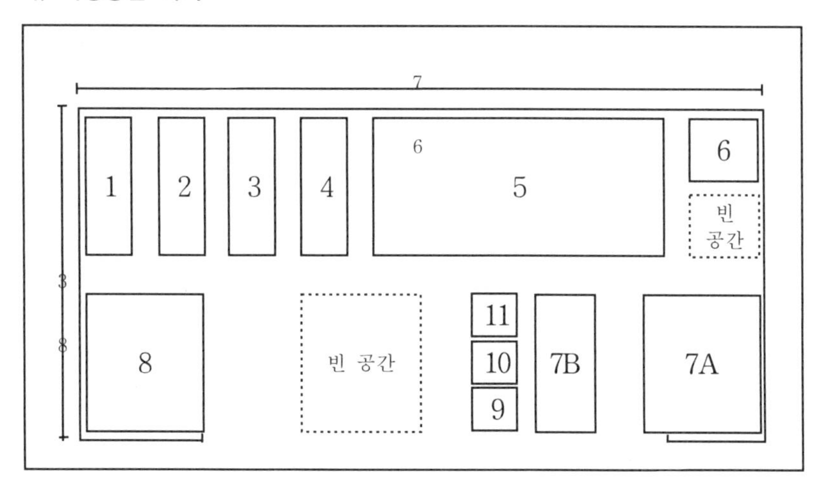

(나) 저장공간 사용 현황

(1) STORAGE SPACE UTILZATION SUMMARY 저 장 공 간 사 용 현 황		AD/ASP 시설명	(가)
LOCATION NO. 위 치	(나)	TYPE OF MAGAZINE 탄약고명	(다)
CSASS & NEW W/O WAIVER 급수 및 순폭약량 (웨이바 없이)	(라)	GROSS SPACE (SQ/FT) 총 공간(평방피트)	(자)
WAIVERED CLASS & NEW 웨이바 인가된 급수 및 순폭약량	(마)	NET STORAGE SPACE 순 저장공간	(차)
ACTRAL QD CLASS & TOTAL NEW 실제 양거리 급수 및 순폭약량 합계	(바)	OCCUPIED STORAGE SPACE 점유 저장공간	(카)
SCG(S) IN STORAGE 혼합 저장 그룹	(사)	VACANT STORAGE SPACE 빈 저장공간	(타)
FIRE/CHEMICAL SYMVOLS 화재 및 화학탄 기호	(아)	SHORT TONS IN STORAGE. 저장 톤 수	(파)

1) 양식명

STORAGE SPACE UTILIZATION SUMMARY

2) 승인번호

SALS-K FORM 1902R

3) 작성방법

가) AD/ASP 〈시설명〉 - 잉크

탄약부대 명칭

나) MAGAZINE NO 〈탄약고 번호〉 - 잉크

탄약고 번호

다) TYPE OF MAGAZINE 〈탄약고 형태〉 - 잉크

탄약고 형태

라) CLASS & NEW W/O WAIVER 〈웨이바 미승인시 급수 및 순폭약량〉

웨이바를 상신하지 않고 저장이 가능한 현 저장 급수의 최소 제한 폭약량(탄약고별 폭약량 제한표 기준 적용)

마) WAIVERED CLASS & NEW 〈웨이바 인가된 급수 및 순폭약량〉

해당사항 없을시 "0"으로 기입

바) ACTUAL QD CLASS & TOTAL NEW 〈실제 양거리 급수 및 순폭약량 합계〉

현재 저장되어 있는 탄약의 최 상위 급수 및 전체 폭약량 합계

사) SCG (S) IN STORAGE 〈혼합저장 그룹〉

현 저장된 탄약의 혼합저장 그룹

아) FIRE/CHEMICAL SYMBOLS 〈화재 및 화학탄 기호〉

현 저장중인 탄약의 최상 급수 화재기호 및 화학탄 저장 시 화학탄 위험 기호를 기입

자) CROSS SPACE (SQ/FT) 〈총 공간(평방피트)〉

탄약고 바닥 면적을 평방피트(가로×세로)로 기록

차) NET STORAGE SPACE 〈순 저장 공간〉

탄약고내 퇴적과 벽체와의 이격거리, 퇴적 간 통로, 지게차 회전 공간 등 운영공간을 제외한 실 저장 가용공간을 실측하여 평방피트로 기록

카) OCCUPIED STORAGE SPACE 〈점유 저장 공간〉

- 저장 탄약 및 폭발물이 차지한 실제 면적
- 각 퇴적의 폭과 길이를 곱해서 합한 수치를 FT2 단위로 기록

타) VACANT STORAGE SPACE 〈빈 저장 공간〉

순 저장 공간에서 점유 저장 공간을 뺀 나머지 수치를 FT2 단위로 기록

파) SHORT TONS IN STORAGE 〈저장톤수〉 - 연필

현 저장된 탄약의 총 톤수

(다) 저장도표 확인 및 변경일지

PLANOGRAPH VERIFICATION/UPDATE					
DATE 일자	VERIFIED OR UPDATED 확인 및 변경표시	SIGNATURE 서명	DATE 일자	VERIFIED OR UPDATED 확인 및 변경표시	SIGNATURE 서명
(가)	(나)	(다)			

1) 양식명

PLANOGRAPH VERIFICATION/UPDATE

2) 승인번호

SALS-K FORM 1902R

3) 작성방법

가) DATE 〈일자〉

저장도표 확인/변경일자

나) VERIFIED OR UPDATE 〈확인 및 변경표시〉

저장톤수 및 폭약량, 기록변경 사유가 발생시 또는 탄약고 검사 확인 시에 그 내용/근거를 기록

다) SIGNATURE 〈서명〉

기록정정 및 수정자의 계급/성명

(라) 탄약목록

ITEM LISTINGS 탄 약 목 록										
STACK 퇴적번호	NSN- DODIC 저장번호 및 국방성 식별기호	CL/GP 급수 및 저장 그룹	NEW/RD 발당 순폭약량	WT/PKG 포장당 무게	AMT/ PKG 포장당 수량	LOT NO. 로트 번호	PKGS/ STACK 퇴적당 포장수	LIGHT BX 낱발포장	QTY 수량	REMARK 비고
(가)	(나)	(다)	(라)	(마)	(바)	(사)	(아)	(자)	(차)	(카)

1) 양식명

ITEM LISTING

2) 승인번호

SALS-K FORM 1903R

3) 작성방법

가) STACK 〈퇴적번호〉

- 저장도표상의 퇴적번호
- 퇴적별 아라비아 숫자로 일련번호를 부여

나) NSN-DODIC 〈저장번호 - 국방성 식별기호〉

- 탄약고 제원카드상의 국가 재고 번호 및 국방성 식별기호를 기록
- 구분선 삽입 후 앞 칸에 국가재고번호, 뒤 칸에 국방성 식별기호 기록

다) CL/GP 〈급수/저장그룹〉

- 해당 탄약의 위험급수 및 혼합저장 그룹을 기록
- 구분선 삽입 후 앞 칸에 위험급수, 뒤 칸에 혼합저장 그룹 기록

라) NEW/RD 〈발당 순 폭약량〉

- 발당 순 폭약량을 파운드로 기입

• 위험급수 1.4급 탄약과 비활성 탄약에 대해서는 기입하지 않음.

마) WP/PKG 〈포장당 무게〉

발당 중량을 TON으로 기입

바) AMT/PKG 〈포장당 수량〉

• 탄약의 포장당 수량을 기입
• 구분선 기록 후 앞 칸은 상자당 포장발수, 뒤 칸은 파레트당 포장발수 기입
• 파레트 탄의 경우 뒤 칸만 기입

사) LOT NO 〈로트번호〉

해당 탄약의 로트번호 기입

아) PKG/STACK 〈퇴적당 포장수〉

• 해당 퇴적을 구성하는 파레트/상자 수량을 기입
• 경 파레트/경 포장수 포함 기입

자) LIGHT BX 〈낱발포장〉

해당 퇴적에 포함된 경 포장/경 파레트 수량 기입

차) QTY 〈수량〉

해당 퇴적 탄약 총수량 기입

카) REMARK 〈비고〉

• 해당 탄약의 상태기호 · 구좌 · 제조년도 등 기입
• 3칸으로 분리 후 첫 째 칸에 상태기호 · 둘째 칸에 구좌, 셋째 칸에 제조년도 기입

나. 탄약고 제원카드

MAGAZINE DATA CARD 탄약고 제원 카드					
NAN/DODIC 저장번호 및 국방성 식별기호	(가)	NOMENCLATURE 품명	(나)	LOCATION 위치	(다)

<table>
<tr><td colspan="2">LOT NO.
로트번호</td><td>(라)</td><td colspan="2">CONDITION
상태</td><td>(마)</td><td colspan="2">AMOUNT PER
PKG
포장당 수량</td><td>(바)</td><td>PKGS PER
STACK
퇴적장 수량</td><td>(사)</td><td colspan="2">LIGHT PKGS PER
STACK
퇴적당 낱발 포장수
(아)</td></tr>
<tr><td>DATE
일 자</td><td colspan="3">VOUCHER
증빙서 번호</td><td colspan="3">RECEIVED FROM
OR ISSUED TO
수령 및 불출부대</td><td colspan="2">QTY
REC
수령
수량</td><td colspan="2">QTY ISSUED
불출수량</td><td>BALANCE
재고수량</td><td>FOREMA/
CHECKER
현장계</td></tr>
<tr><td>(자)</td><td colspan="3">(차)</td><td colspan="3">(카)</td><td colspan="2">(타)</td><td colspan="2">(파)</td><td>(하)</td><td>(갸)</td></tr>
</table>

(1) 양식명

MAGAZINE DATA CARD

(2) 승인번호

SALS-K FORM 1904R

(3) 작성방법

(가) NSN/DODIC <저장번호 및 국방성 식별기호> - 잉크

탄약의 외포에 표시된 국가 재고번호 및 국방성 식별기호

(나) NOMENCLATURE <품명> - 잉크

해당 탄약의 완전명칭

(다) LOCATION <위치> - 잉크

탄약고 번호 및 저장도표에 명시되어 있는 퇴적 일련번호

(라) LOT NO <로트번호> - 잉크

해당 탄약의 로트번호

(마) CONDITION <상태> - 잉크

해당 탄약의 상태기호

(바) AMOUNT PER PKG <포장당 수량> - 잉크

단위 포장당 발수

(사) PKGS PER STACK <퇴적당 수량> - 연필

- 해당 퇴적을 구성하는 파레트 및 상자 수량
- 경 포장/경 파레트 수량 포함

(아) LIGHT PKGS PER STACK <퇴적당 낱발 포장수> - 연필

해당 퇴적에 포함된 경 포장/경 파레트 수량 기입

(자) DATE <일자> - 잉크

재물조사, 불출 또는 수령 거래 일자

(차) VOUCHER NO <증빙서 번호> - 잉크

- 퇴적의 탄약 수량에 증감을 발생시키는 불출, 적송, 수령 및 고내 이관 문서의 문서번호
- 재물조사 시 관련근거 기록

(카) RECEIVED FROM OR ISSUED <수령 및 불출부대> - 잉크

- 거래 대상 부대의 명칭
- 재물조사 시에는 "ㅇㅇ재물조사"

(타), (파), (하) QTY REC <수령 수량>, QTY ISSUED <불출수량>, BALANCE <재고수량> - 잉크

증가수량, 감소수량, 현재고 수량을 기록

(거) FOREMAN/CHECKER <현장계> - 잉크

기록계정 계원의 계급 및 성명

다. 폭발물 저장관리 일반지침(탄약고 플래카드)

(1) 폭발물 저정 및 관리에 따른 주의사항

(2) 식별 용이한 곳 부착(통상 출입문 우측 벽 부착)

폭발물 저장관리 일반지침(탄약고 플래카드)

1. 항상 폭발물과 탄약을 주의 깊게 취급할 것
2. 저장하기 전에 용기와 탄약으로부터 오물, 잔모래, 외부 물질을 제거할 것
3. 파손된 용기에 폭발물 및 탄약을 저장하지 말 것
4. 내용물에 취급 및 검사시 제거되지 않게 효과적으로 밀폐되도록 용기를 탄약고에 보관할 것
5. 각 조별로 분리하여 저장할 것. 퇴적을 안전성 있게 할 것. 모든 퇴적의 각 부분에 자유스러운 통풍이 되도록 할 것. 용기와 탄약을 깔판과 마루로부터 이격시킬 것
6. 기교 9-1300-207에서 허용된 것을 제외하고는 탄약고의 75ft(22.5m)내에서 용기를 열고, 수선하고, 포장하고 재 포장하지 말 것
7. 탄약고에 빈 용기, 도구 혹은 다른 물질을 보관하지 말 것
8. 절대적 청결과 질서를 유지할 것
9. 탄약고에는 승인된 조명기구 등을 사용할 것
10. 탄약고에는 흡연을 하지 말며, 성냥을 가져가지 말 것
11. 비 인가된 인원이 탄약고 혹은 탄약고 근처로 가는 것을 허락하지 말 것
12. 잘 칸막이 된 환기통을 설치하여 탄약고로 불꽃이 들어가지 못하도록 하여야 하며, 문이나 토대 주위에 구멍이 없도록 할 것
13. 탄약고를 사용하지 않을 때는 문을 잠가 둘 것. 차량의 배기장치에 불꽃을 막은 장치가 없으면 차량이 연단에 접근할 때는 문을 잠글 것
14. 지상형 탄약고 주위 50ft(17m) 의 청결한 공간을 가연성 물질로부터 유지할 것
15. 인원이 폭발물 혹은 탄약이 저장된 탄약고내에서 작업시 가능하다면 2개 이상의 문을 열어둘 것
16. 탄약고에 1개 이상의 이런 규칙사본을 분명히 보이도록 붙일 것
17. 상세한 지침을 위하여 기교 9-1300-207을 참조할 것

Section 04

주요탄종 기본제원 (탄종별 저장제원, 포장제원)

1. 탄종별 저장제원

DODIC	명 칭	발달중량 (S/T)	위험 급수/ 혼합저장그룹	발달 폭약량 (NEW)
A011	12GAGE SHOT GUN	0.00007	1.4S	0.0038
A071	5.56 ㎜ BALL M193	0.00002	1.4S	0.0041
A131	7.62 ㎜ LINK4 BALL ITR	0.00005	1.4S	0.0067
A182	CAL30 CAR BALL M1 PACKED10 CLIP	0.00002	1.4S	0.0021
A212	CAL30 BALL M2 PACKED20 CTN	0.00004	1.4S	0.0074
A574	CAL50 SPOTTER TRACER M48 10 CTN	0.00017	1.4C	0.0157
A653	20M 4HEI ITP-T PACKED100 BELT	0.00038	1.2.2E	0.0285
B586	57 ㎜ HE M306A1 W/F PD M503	0.00522	1.2.2E	1.5500
B632	60 ㎜ HE M49 W/FUZE PD M52 & M525	0.00274	1.2.2E	0.839
C104	76 ㎜ HE M42A1 W/FUZE PD M51A5	0.01685	1.2.1E	4.7500

C256	81 ㎜ HE M374	0.00039	1.2.1E	2.417
C282	90 ㎜ HEAT M371	0.00594	1.2.1E	3.0300
C445	105 ㎜ HE M1 W/O FUZE	0.00341	1.2.1E	7.9600
C650	106 ㎜ HEAT M344	0.03088	1.2.1E	10.890
C705	4.2 인치 HE M329	0.02147	1.1E	8.1360
D540	CHG PROP GREEN BAG M3 FOR 155~~M~~ HOW	0.00873	1.3C	5.7500
D544	155 ㎜ HE M107 FOR HOW	0.04982	(18)1.1D	15.767
D572	175 ㎜ HE M437 W/SUPPL CHG F/GUN	0.07900	(21)1.1D	31.365
D676	CHG PROP WHI BAG M2 F/8″ HOW	0.02924	1.3C	28.813
D680	8 인치 HE M106 W/SUPPL CHG F/ 8인치 HOW	0.10550	1.1D	36.680
G881	HAND GRENADE FRAGMENTATION XM67	0.00087	(04)1.1F	0.4100
H557	66 ㎜ ROCKET HE M72A2	0.00390	1.1E	0.8300
H600	3.5인치 ROCKET HEAT M28A2	0.00939	1.1E	2.6100
K121	MINE AP NM M14 OR M14A1	0.00025	1.1D	0.0643
L495	FLARE SURFACE TRIP M49 SERIES	0.00089	1.3G	0.7010
N308	FUZE PD M524 SERIES	0.00180	1.1B	0.0798
N523	PRIMER PERCUSSION M82	0.00007	1.2.2G	0.0031

2. 탄종별 포장 제원

단위 : cm

DODIC	상자				파렛트			
	가로	세로	높이	발수	가로	세로	높이	상자수
A071	36	33	21	1,680	121	127	121	48
A131	45	30	20	800	91	124	104	48
A182	37	33	21	2,160	121	100	121	45
A574	37	32	21	220	109	120	97	48
A655	47	21	37	100	121	105	124	30
B586	56	19	22	4	112	130	92	48
B632	54	38	34	30	102	132	103	125
C282	83	26	16	2	102	81	127	28
C445	95	30	18	2	91	94	106	15
C704	81	28	18	2	112	81	124	24
D540	–	–	–	–	141	105	117	72
D541	–	–	–	–	102	140	117	50
D544	–	–	–	–	69	35	81	8
D676	–	–	–	–	148	103	114	32
D680	–	–	–	–	72	49	91	6
G881	49	29	29	30	102	122	99	24
H600	75	36	17	3	71	74	114	18
K121	50	44	22	90	102	130	125	20
K182	71	35	27	4	107	135	84	15

MEMO

장비 소개(지게차, 거양장비)

장 비 명	관절식 유압크레인	용 도	적재, 하역 윈치
제원 및 특성	2$\frac{1}{2}$톤/5톤 1. 전장 : 10.2m/12.7m 2. 전폭 : 2.2m/2.4m 3. 전고 : 2.2m/2.4m 4. 중량 : 1,046kg/1,907kg 5. 붐 형식 : 2단 굴절, 신축 6. 붐 상승속도 : 6.2cm/sec/1.3cm/sec 7. 아웃트 거리 폭 : 3.24m/3.17m 8. 신축 거리 폭 : 1.32m/1.42m ※ 탑재 차량 : 2$\frac{1}{2}$톤/5톤 탑재 후 최저높이 : 2.84m/ 2.94m	9. 회전속도 : 22°/sec 10. 회전각도 : 360° 11. 최대인양 : 2.2톤 12. 최대 작업반경 : 6.23m	

장비명	11,000 L/B 지게차	용도	물자 운반용
제원 및 특성	제원 1. 중량 : 7,710kg - 전장 : 4.65m - 전폭 : 1.91m - 포오크 길이 : 1.22m - 포오크 인상높이 : 3m 2. 엔진형 : MAN DO 844(4기통) 3. 가버너 : 기계식 전속도 조절형	특성 1. 등판능력 : 19% 2. 회전반경 : 3.3m 3. 상승속도(부하시) : 4cm/sec 4. 타이어 규격 : 750-16(전 · 후) 5. 최대 주행속도 : 25km/H	

장비명	6,000 L/B 지게차	용도	일반화물 하역 및 적재 작업용
제원 및 특성	제원 1. 적재능력 : 3,500㎏ 2. 인양높이 : 3.00m 3. 상승속도 : 4.1㎝/sec 4. 등판능력 : 23% 5. 회전반경 : 2.75m 6. 차체중량 : 5,750㎏ 7. 주행속도 : 19.2㎞/H	특성 1. 엔진형 : MAN DO84 (4기통) - 출력 : 90마력 - 전원 : 24V(4D B/T 2개) 2. 사용연료 : 디젤 3. 운전자 : 1명 4. 타이어 규격 : 825 - 16(전) 700 - 12(후)	

HDF45A

- 운전중량 : 6,400kg
- 엔진출력 : 81ps/2,200rpm
- 인양하중 : 4,500kg
- 인양높이 : 3,000mm
- 주행속도 : 23km/h

전동 지게차 LB 30(6,000L/B)	전동 지게차 LB 30S(6,000L/B)
1. 최대 인양하중 : 3,000kg 2. 최대 인양높이 : 3.2m 3. 마스트 경사각 : 6/10 4. 상승속도 : 7.5cm/sec 5. 최대 주행속도 : 16km/H 6. 등판능력 : 9.5% 7. 전폭 : 1.18m 8. 전고 : 2.17m 9. 축간거리 : 1.55m 10. 중량 : 4,585kg 11. 최소 회전반경 : 2.02m	1. 최대 인양하중 : 3,000kg 2. 최대 인양높이 : 3.2m 3. 포오크 길이 : 1m 4. 마스트 경사각 : 6/10(전 · 후) 5. 상승속도 : 4.5cm/sec 6. 최대 주행속도 : 16.5km/H 7. 등판능력 : 13% 8. 전 폭 : 1.2m 9. 전 장 : 3.74m 10. 축간거리 : 2.16m 11. 중량 : 4,300kg 12. 최소 회전반경 : 2.25m

HBF20C

- 운 전 중 량 : 4,000kg
- 밧데리용량 : 48V/710Ah
- 인 양 하 중 : 2,000kg
- 인 양 높 이 : 3,000mm
- 주 행 속 도 : 16km/h

<table>
<tr><td>장비명</td><td>4,000 L/B 전동식 지게차</td><td>용도</td><td>항만 및 탄약부대의 적하화용</td></tr>
<tr><td>제
원

및

특
성</td><td colspan="3">1. 엔진을 사용하지 않고 배터리 충전탑재 운행
- 타이어 규격 : 700-12(12PLY)
2. 모터 (4개 부착)
DT-4.5-1600
DT-4.5-1600(2개)
3. 배터리 (5개 탑재)
34D-D7CN(1개), 34D-D8AE(1개)
34D-D48O(1개), 34D-D9AE(1개)
34D-D54O(1개)</td></tr>
</table>

▯ 저 자 약 력 ▯

이 강 복
- (현) 대덕대학 유도탄약과 교수
- 영남대학교 경영대학원(경영학석사)
- 육군종합군수학교 탄약학처장

한 호 석
- (현) 대덕대학 유도탄약과 교수
- 충남대학교 산업대학원(공학석사)
- 육군종합군수학교 탄약관리 교관

탄약관리학

발 행 일 | 2008년 3월 5일
재 판 | 2016년 2월 10일

편 저 | 이강복 · 한호석
감 수 | 육군종합군수학교

발 행 인 | 박승합
발 행 처 | 노드미디어 (구) 골드
등 록 | 제106-99-21699(1998년 1월 21일)
주 소 | 서울시 용산구 한강대로 320
전 화 | 02-754-1867
팩 스 | 02-753-1867
홈페이지 | http://www.enodemedia.co.kr

정가 25,000원

ISBN 978-89-8458-188-3-93550